東京学芸大学准教授
犬塚美輪

生きる力を身につける
14歳からの読解力教室

笠間書院

はじめに

犬塚

「なんで勉強しなくちゃいけないの？」

勉強するのは何のためか、誰《だれ》しも一度は疑問に思うことですよね。子どもに勉強するように厳しく言う大人であっても、「『勉強しなさい！』と子どもたちに言ってはいるけど、実は自分も昔は同じ疑問を持っていたなあ」と思っているはずです。間違《まちが》いありません。たぶん。それにしても、私たちはなんで勉強するのでしょうか。もちろん「勉強するのは面《おも》白《しろ》いから」とか「楽しいから」というのは重要な理由ですが、（たとえ楽しくなくても）「必要だから」「何かに役立てるため」「何かよいモノを手に入れるため」という理由もあるはずです。

若干ヨコシマな感じですが、「何かに役立てるため」「必要だから」というのは本質的な勉強する理由の一つです。文部科学省が示している今の日本の教育方針も〝生きる力〟を育成すること、となっています。ですから、私たちが勉強するのは「生きる力」という、いかにも「役立ちそうなモノ」を手に入れるため、といえるのです。

では、このいかにも役に立ちそうな〝生きる力〟は具体的には何を指すのでしょう？

この力は大きく二つに分けることができます。一つは、教科の知識です。例えば、〝二次方程式〟や〝水溶液《すいようえき》の性質〟のような教科の中身が含《ふく》まれます。もう一つが、そうした教科や学問領域が限定されない、教科横断的な力です。一つ一つの教科の中で学ぶことと、色々な教科の中で身につけていくことの両方が〝生きる力〟として大切だと言えるのです。

本書は、この二つの〝生きる力〟のうち、教科横断的な力に着目するものです。その中でも、「今の中学生・高校生が大人になって生きていくために必要な力」として特に重要なものとして、読解力を取り上げました。あれ？　なんか納得《なっとく》いかなさそうな表情の中学生がいますね？

マコ　**なんで読解力。理系にはあんまり関係なくない？**

アヤ　**待って。そもそも読解力って何？**

ヨシキ　**本読まなきゃダメ？　面倒《めんどう》だなー。**

犬塚　なるほど。私も、「重要って言ったら重要！　いいから本を読みなさい！」というようなごり押《お》しは嫌《きら》いです。効果がなさそうですし。そこでこの本では、「読む

のが苦手」「読解力が大事って言われても……」とちょっぴり嫌《いや》そうな顔をしているこの三人と一緒《いっしょ》に、「そもそも読解力って必要？」「どうすれば読解力は身につくのかな」という読むことについての様々な疑問への答えを探していきたいと思います。三人と読んでいるみなさんに「なるほど、読むってそういうことか」「私も読めるようになりたい」「ボクもできそう」と思ってもらえるでしょうか……。

登場人物

犬塚先生

「読むこと」を研究する大学の先生。ファンタジーと推理小説が好き。

アヤ

勉強は得意。小説を読むのは大好きだが説明文はあまり好きではない。

マコ

本は図鑑《ずかん》や新書なら割《わり》と好き。動物が大好きでとても詳しい。

ヨシキ

数学が得意。本を読むのは大嫌《だいきら》い。テニスが好きな体育会系。

生きる力を身につける 14歳からの読解力教室 目次

Part one

「読む」とはどういうことか

第1章　読解力は必要か

〝本〟〝文章〟にも色々ある

犬塚　では、読解力について一緒《いっしょ》に考えてくれるアヤさん、マコさん、ヨシキさんの、率直《そっちょく》な意見を聞いてみましょう。

アヤ　私は読むのは嫌《きら》いじゃないので、「読解力」って言われたらある方かなって思ってるんですけど。

マコ　じゃあなんで来たのー！　私は本を読むのはあんまり好きじゃないっていう感じかなあ。あ、でも動物はすごく好きだから、動物についての本は読むよ。

アヤ　この前、盲導犬《もうどうけん》が出てくる小説読んだよ！　感動した～！　今度貸すよ！

マコ　いや、そういうのじゃなくて、その動物の特徴《とくちょう》とか生態？　書いてあるようなやつが好きなの。感動系は読まないよ。こないだはウォンバットのウンチが四角になる理由を読んだ。面白《おもしろ》かった！

ヨシキ　ボクはうーん、YouTube派かなー？　なんか分からないときとか、暇《ひま》だなーっていうときは動画見ますねー。本は読まないな……。

犬塚　面白《おもしろ》いですね。本を読むかどうか、好きかどうか、また本と一言で言っても色々な種類の本があって、「読むのが好きかどうか」はその種類によっても違《ちが》うってことですよね。

アヤ　確かに。私はマコとは逆で、あんまり生態とか科学とかそういうのは読まないなあ。小説ばっかり読みますね。

犬塚　小説と新書のような違《ちが》いは、文章の〝ジャンル〟という言葉で表現します。アヤさんが好きなジャンルは物語文ですね。マコさんはどちらかというと説明文とか論説文が好きなのかな。実は同じ「読解」でも、物語文と説明文ではずいぶん違《ちが》うものを相手にしていることになるんです。
　まず、物語文には共通した枠《わく》組《ぐ》みのようなものがあると言われています。それを

図 1-1　文法とその構成要素（Thorndyke, P.W., 1977をもとに作成）

要素	具体例（桃太郎）
設定（場所、時間、登場人物）	あるところ／昔々／桃太郎
主題（解決すべき課題）	鬼退治
筋立て（解決方法）	キビだんごをあげる →味方を増やす
解決	鬼をやっつける

〝物語文法〟と呼んでいます。

アヤ　文法ですか？

犬塚　はい。ちょっと分かりにくいですね。物語構造というふうに言《い》い換《か》えてもいいと思います。この物語文法（構造）というのは、物語というのには一定の型があるという考え方なんです。図1－1を見てください。物語に必要な要素として〝場所〟や〝人物〟〝解決すべき問題〟があって、その〝解決〟が目指されるのですね。

もちろん、なかにはあえてこれらの要素を無視するような物語もあって、それがかえって物語の面白《おもしろ》さを生み出すような場合もあるのですが、それにしても私たちはおおまかな枠組《わくぐ》みに沿ってストーリーを理解しようとしていると考えられます。

アヤ　なるほど。確かに。例えば、トールキンの『指輪物語』はフロドという人物が厄介《やっかい》な指輪という問題を捨てるということで解決しようとしますね。カフカの『城』とかは、何を解決するのか分からないのがイライラするっていうか面白《おもしろ》いっていうか……。

マコ　さすが読書家……カフカって何それ。人？　なんか、型があるって言われるとつまらなそうだけど、同じ型なのに全部違《ちが》う面白《おもしろ》い話になるのすごいですね。

犬塚　とても抽象的《ちゅうしょうてき》な型なので、それがあるからといって同じお話にはならないですね。人間は幼児期くらいからこうした型を身につけていくと考えられていて、それは物語を聞いたり読んだりすることだけじゃなくて、日常生活をどんなふうに憶《おぼ》えたり語ったりするかということにも関わっているようです。

　さっきアヤさんが『指輪物語』を物語文法に沿ってお話ししてくれましたけど、皆《みな》さんも、〝今日何があったか〟とか〝先週見た映画がどんな話だったか〟を説明するときには物語文法に沿って説明するのではないかと思います。例えば、学校での出来事だったら「英語の時間にね、○○先生が抜《ぬ》き打《う》ちテストしたんだよ。みんなでブウブウ言ったら『じゃあ10分、復習タイムにします』って言ってくれたんだけど」とい

うような感じで。これは、私たちにとって出来事をそのように整理する枠組《わくぐ》みがあるからで、それに沿っていると「分かりやすい」からだと考えられます。

マコ　じゃあ説明文はどうですか？　やっぱりそういう型ってあるのかな？

犬塚　実は、説明文の方が難しいんです。型も「コレ！」というのがあるわけじゃなくて、いくつかあるし、物語文より明確ではありません。例えば、よく言われるのが「序論―本論―結論」とか「はじめ―なか―おわり」のような３部構成ですけど、物語文法に比べて「ああなるほど！」という感じがしないですよね。それぞれの内容をより具体的に示す「問い―説明―答え」のような枠組《わくぐ》み（佐藤《さとう》、２０１４）の方が分かりやすいですが、「問い」は明記されない場合もあったりするので、物語文法のようなしっかりした枠組《わくぐ》みがあるとは言えなさそうです。

　こういうような構造の違《ちが》いもあって、物語文は好きだしよく読むけれども、説明文はあまり好きじゃない、苦手だ、という人の方が多いですね。物語文の方が「読んだら自然と分かる」感じがするからだと思います。もちろん本当は物語文が簡単だというわけではないのですが……。一方、説明文の方が頑張《がんば》ってどんな内容なのかを「読み取る」必要があると言っていいでしょう。その分、「自然とは頭に入ってこない」

という感じになるようです。

ジャンルによって、「よい文章」の基準も違《ちが》ってきます。例えば、物語文で冒頭《ぼうとう》に結論が書いてあったらどうでしょう。

ヨシキ　それはつまらないですよね。サスペンスで最初に犯人分かるみたいなことでしよ？

アヤ　いやそれはそれで面白《おもしろ》いかもしれない……。

犬塚　もし、推理小説で最初に犯人が分かるとしたら、それはその物語の結論じゃないってことになりますよね。

アヤ　そうそう！　そうですよね。その場合は犯行に至る動機とか、裏の事情とかが分かるのが「結論」って感じがする！

犬塚　一方で、最後まで何が言いたいのかはっきりしない説明文ってどうでしょう。

マコ　え、それは最悪。なんの話なのか分からないまま読むなんて無理じゃない？

犬塚　そうですよね。物語文は、どこに行くんだろう、何が隠《かく》れてるんだろう、とドキドキしながら、ときに思わぬ出来事があってびっくりしながら進んでいくのが面白《おもしろ》い、よい文章とされるのではないでしょうか。一方で、説明文の場合は、「最終目的

地はこちらです」「ここにあるのはコレとコレです」とハッキリした状態で迷わずまっすぐ進んでいく方がよい文章だと考えられます。説明文で〝思わぬ展開〟があったら「なんだこれは。分かりにくいなあ」と思うのではないでしょうか。

このように、〝よい文章〟の特徴《とくちょう》が違《ちが》いますから、読み方も違《ちが》ってくるはずです。物語文を読むなら、はっきり書いていないことや暗示されたことを想像したり考えを広げたりしながら読む必要があります。説明文の場合は、前に書いてあることと今書いてあることをきちんとつなげながら全体像を明確にしていくのが主な仕事になります。

マコ 私とアヤは、読むのが好きとか嫌《きら》いとか言ってるけど、そのときに想定してる頭の中の活動が違《ちが》うんですね。

読解力は必要か

ヨシキ いや、面白《おもしろ》いけどさ、テーマは「生きる力」なんでしょ？　読解力って。なんか、今の時代、文章が読めることってそんなに大事じゃないんじゃないかなー

と思うんですけど。生きる力として必要ですかね、読解力。

犬塚 そもそも読解力が必要か。大事な問いですね。どうしていらないかもって思うのかな。

ヨシキ いや、だって、先生がだいたい教えてくれるじゃないですか、必要なことは。それにボクにはYouTubeみたいな動画があればいいっていうか。ほかにも動画が今の時代はいっぱいあるから、一生懸命《いっしょうけんめい》自分で読まなくても誰《だれ》かほかの頭いい人が動画でやってくれてるんじゃないですかね。その方が分かるし。自分が読めるようになることって必要ですか？

犬塚 ふむ。そうすると、ヨシキさんの主張は、

1　動画や先生がいれば文章を読めなくてもよい

2　（仮に文章を読むのが必要だったとしても）全員に読解力がなくても、頭のいい誰《だれ》かが読めればよい

の二つということになりますね。順番に考えていきましょう。

1 文章が読めなくても動画がある説

犬塚　ヨシキさん、最近勉強のために動画を見たときのこと教えてくれる？

ヨシキ　数学の図形で分からないところがあって、〝必勝！　中学校数学〟っていうYouTube見て勉強しました！　分かりやすかった！

犬塚　なるほど。それで図形の問題は全部解けたかな？

ヨシキ　いやそれが、実際に参考書開いて問題を解こうと思ったら、「あれ？　分かったと思ったんだけどな？」って詰《つ》まっちゃうところが結構ありましたね。

犬塚　そういうときはどうしたのかな？

ヨシキ　……参考書の解答と解説ページを……

犬塚　読んだんだね？

ヨシキ　……はい……

マコ　なんだよ！　結局「読まないとダメだった」って話じゃん！

犬塚　そうなりましたね。もちろん、分からない部分を動画解説が教えてくれて助かった！　っていう場面もあると思います。でも、「誰《だれ》かが自分の分からないところをうまく解説してくれる動画を作ってくれる可能性」って決して１００％じゃないです

よね。本や解説書だって１００％じゃないけど、たぶんそっちの方がカバーしている範囲《はんい》が広い。

それから、もっと大事なこととして、役に立つ動画が公開されるためには、

①その内容をよく分かっているユーチューバー

②その動画を見たい人

の両方がそれなりの人数でそろわないといけません。今みんなは中学生で、中学生が学校で勉強する内容は全国どこでも同じで、みんなが勉強してきました。だからその内容が分かる人も大勢いるし、「そういう動画があればぜひ見たい」という人も多い。だから、ユーチューバーも「いい動画を作ろう！」と頑張《がんば》ってくれて、分かりやすい動画が公開されるというわけです。でも、みんなが大学生になったとき、大学院生になったときはどうだろう。内容がうんと高度になるから、①が少なくなりますね。同じ内容を勉強している人も少なくなるから、②も少なくなってしまいます。そう考えると、確かに今はＹｏｕＴｕｂｅで十分、かもしれないけれど、この先勉強し続けていくには、動画以外の方法で勉強できる方がいい、それには本を読むのが一番手っ取り早い、ということになりますね。

ヨシキ　でも犬塚先生、自分はたぶん理系なんですよ、数学の方が得意だから。だとすると、式とか計算とかだから、どっちかっていうと本を読む必要性は少ないってことですよね。

犬塚　残念、ヨシキさん。読むのは文系だけではありません。理系と言われる自然科学系でも本はたくさん読む必要があります。多くの大学では、1年生からたくさんの〝教科書〟を読みます。だから、文系でも理系でも、よりよく学ぶためには読解力が必要ということになりますね。

　大学に行かないから関係ない！　と思うかもしれませんが、大人になってから新しい知識を身につける必要性に迫《せま》られることもたくさんあります。例えば、料理人の修《しゅ》業《ぎょう》をして自分のお店を持ちたい、と思ったら、料理の腕《うで》を磨《みが》くだけじゃなくて「どうすれば商売として成り立つか」を学ばなくてはならないかもしれないですし、衛生管理についての資格が必要になることもあるでしょう。お仕事だけでなく、育児でも本などを読むことが助けになることもあります。

マコ　育児でも？　自分の親に聞けば済みそうだけど。

犬塚　子育て経験者とはいっても自分の子どものことしか知らないのが普通《ふつう》です。赤

ちゃんは実はとっても個性豊かなので、一人ひとり性格も育ち方も大きく違《ちが》います。それに加えて、健康や発達上の問題などがある場合には、自分自身の限定的な子育て経験だけでは分からないことがいっぱいあって当たり前です。それぞれの親の様々な〝知りたいこと〟全部に答えられる人はなかなかいませんから、本などの情報を〝読んで理解する〟ことを通して、それぞれの親が考える必要があります。

ヨシキ　うーん確かに。今出てきた例は、だいたい説明文かなと思うんですけど、じゃあ、説明文を読む読解力が必要、というふうに考えていいですか？

犬塚　そうですね。〝理系〟に限らず、多くの専門領域で、勉強のためにまず必要な読解力は、〝説明文〟ジャンルの読解力だと言えると思います。新しい概念《がいねん》や理論を読んで理解する力が必要不可欠ですね。仕事や育児に関する知識も、まずは説明文で学ぶことが多いと言えるでしょう。ですからこの本では、この先は〝説明文を理解する力〟としての〝読解力〟に注目することにしましょう。

　ですが、大事なところで小説で読んだことが役に立つこともあるし、何よりその人の核《かく》となる部分を作るような素晴《すば》らしい小説もあるし、よい物語に支えられて技術が適切に開発されていくということもあるので、そういう意味では物語文はとても重要

アヤ　で……犬塚先生が暴走してる……。

2　読解力は全員に必要ない説

犬塚　さて、思わず大きく脱線《だっせん》しそうになりましたが、ひとまず、説明文を理解するための読解力に焦点《しょうてん》を当てることにして、次に考えるのは「みんなに読解力が必要か」という点ですね。

アヤ　さっきので答え出ちゃったような気がします。あと、みんなが「誰《だれ》かが読めればいいや」って思ってたら誰《だれ》もいなくなるかもしれない。

マコ　自分が知りたいことをほかの誰《だれ》かが都合よく分かっていてくれるかどうか、ちょっと賭《か》けにならない？　さっき犬塚先生が言ってたみたいに、専門的なことになるほど分かってる人は減っていくわけだし。

ヨシキ　なんだよ、二人そろって……。別に人が減ってもさ、ＡＩとかにやってもらえるんじゃない？　「アレクサ、水力発電の仕組みを教えて」みたいにさあ。

犬塚　なるほど、ＡＩが情報をどこかから集めてきて、なんかいい具合にまとめてく

れるという夢のシステム。

ヨシキ　犬塚先生まで！

犬塚　いや、ごめんなさい。確かに、そういう夢のシステムができたら、新しい情報をＡＩが集めてきて、そこから新しい情報をＡＩが生み出して、それをまたＡＩが集めてきて、というふうにできるかもしれないですね。

ヨシキ　そうなればいいと初めは思ったんですが、なんだか聞いてたらちょっと怖《こわ》いなと思っちゃいました。機械が勝手にどんどん情報を作り出していくって……映画だと人間が滅《ほろ》ぼされる展開ですよね。

犬塚　そういう映画ありますね。まず現状から言うと、最新のＡＩ技術であっても、人間のようには読むことができないので、人間の読みをＡＩにやってもらう、というのは、まあ無理です。だからなかなか映画のようなＡＩの暴走、というのは今のところそんなに心配なさそうです。

　じゃあ、ＡＩ技術が〝読む〟というときに何をしているかというと、文字という記号をルールと確率に即《そく》して処理していく、ということをしているんです。そこに〝意味〟はないんです。

アヤ ちょっとよく分かりません……。

犬塚 二つの文を見比べてみましょう。

A　キリンがリンゴを食べた

B　キリンがリンゴに食べられた

だいぶ違いますよね？　Aの文は普通《ふつう》に意味が分かるけど、Bの文はおかしい、と簡単に判断できたのではないでしょうか。でも、AIにはそういう判断は簡単じゃないんです。

マコ え？　だって、リンゴはキリンを食べるには小さすぎますよ。

ヨシキ いや、大きさの問題じゃないだろ。リンゴが何かを「食べる」っていうのがおかしいってことだろ。リンゴは果物、植物だから。

犬塚 二人は今、「キリンはこういうものだ」「リンゴはこういうものだ」という意味について答えてくれました。リンゴはキリンよりずっと小さい、リンゴは植物だから何かを「食べ」たりしない。そうですよね。キリンやリンゴの意味から考えたら、Bの文のようなことは起こりっこない、これは「常識だ」というわけです。お二人は、意味を使って二つの文が違《ちが》うこと、Bはあり得ないことを読み取ったんです。文を読

図 1-2　AIは「常識」を使って読み取れない

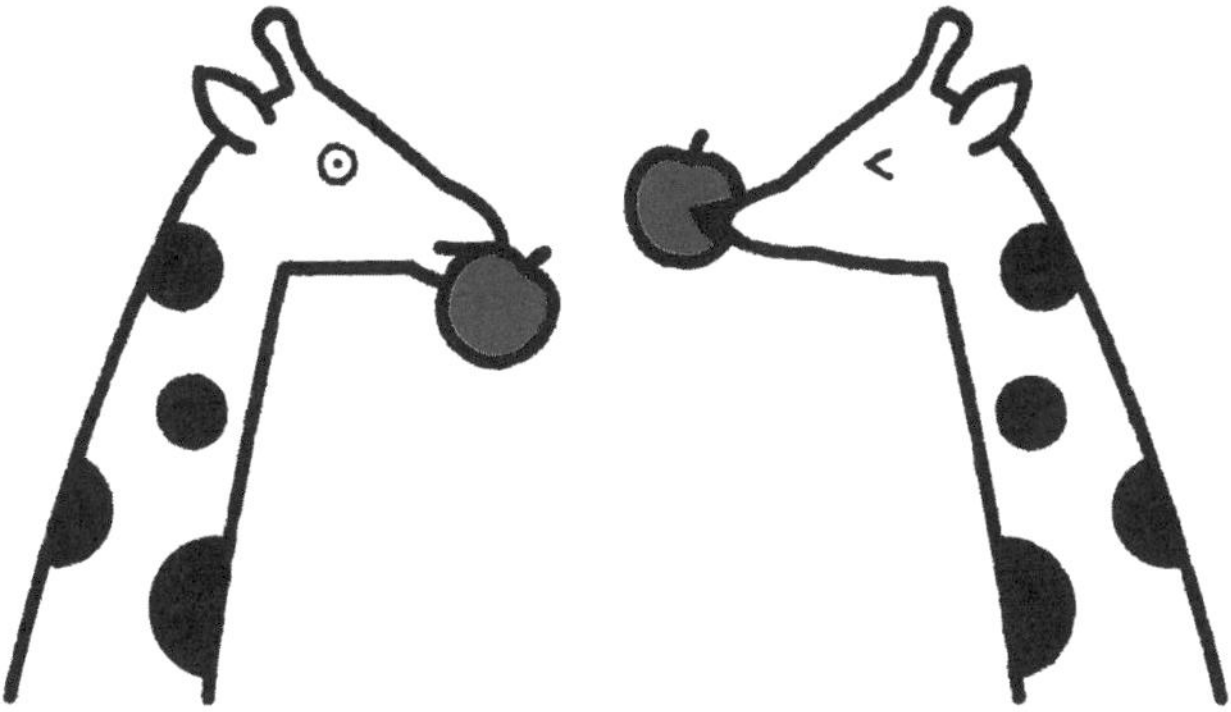

キリンがリンゴを食べた

キリンがリンゴに食べられた

むというときには、こんなふうな判断をたくさんしているということになるんですね。

一方で、AIの情報処理の基本は、「一緒《いっしょ》に使われている単語の組み合わせ」と「ルール」なんです。二つの文はどちらも同じ単語から成り立っていて文法的には〝正しい〟。そうなると、AI的には「どちらも合ってるよ？」と考えてしまうんですね。つまり、AIは「意味」や「常識」を使って読み取ることはできないんです（図1－2）。

アヤ　でも、ルールも使えるんですよね？　意味はなくても、ルールが

分かれば読めるんじゃないですか？　例えば、「植物は動物を食べない」っていうルールを教えたら大丈夫《だいじょうぶ》なんじゃないですか？

犬塚　大変よい目の付け所です！　その場合、

C　リスがキリンに食べられた

D　キリンをライオンが食べた

はどうなりますか？

アヤ　Cはおかしいけど D はおかしくない……別のルールが必要ですね。どんどんルールが増えちゃう……。

犬塚　そうなんです。簡単な文でも、人間は結構多くの常識やルールを駆使《くし》しているんですね。そして人間が使っている常識やルールを全部ＡＩに教えるというのは事実上不可能なんですね。

ＡＩの苦手分野はほかにもあります。皆《みな》さんはキリン、リンゴ、と聞いたらそのイメージが浮《う》かびますよね。マコさんは「大きさが全然違《ちが》う」と言っていました。きっとマコさんの頭の中にはキリンとリンゴのイメージが浮《う》かんでいたと思います。こういうイメージも意味として重要です。でもＡＩは意味も捉《とら》えることができないので、

イメージと言葉を結び付けるのも苦手です。例えば「リンゴ」の特徴《とくちょう》として〝赤い〟〝丸い〟というような数値に換算《かんさん》できる情報を使って、世界中のデータを参照して、「リンゴ」を探させると、あっという間にたくさんの「リンゴ」画像を見つけてきます。でも、見つけてきた画像の中には〝赤い風船〟や〝赤いボール〟〝さくらんぼ〟〝アセロラ〟など、人間が見たらすぐに分かる不正解も一緒《いっしょ》くたに入っています。そうした数値に変換《へんかん》しにくいことをＡＩが学んでいくようなプロセスについて、今はたくさんの研究がされているのですが、少なくとも、ＡＩが人間の理解や思考を代替《だいたい》できるとは言えない状況《じょうきょう》です。

マコ じゃあ、私たちがキリンとかリンゴとか聞いたときに当たり前に頭に浮《う》かぶことは、ＡＩ的にはまったく浮《う》かばないって感じですか？

犬塚 そう。ＡＩは思《おも》い浮《う》かべない。

ヨシキ でもこの前「読解テストでＡＩが人間に勝った！」みたいなネット動画見たんだけどな〜……。

犬塚 その場合、どんな問題でテストしたかがとても重要ですね。ＡＩが人間に勝つ状況《じょうきょう》としては、

1　範囲《はんい》がある程度限られていること

2　単語同士が一緒《いっしょ》に使われているかどうかで判断できる問題であること

の二つが満たされている場合だと考えられます。

例えば、テキストのここからここまでが出題範囲《はんい》ですよ、と言われていて、その中の記述の穴埋《あなう》めのような問題であれば、AIは結構上手に読み取れます。

マコ　じゃあ、歴史の教科書の範囲《はんい》で「足利義政《あしかがよしまさ》は（　）幕府の将軍である」みたいな問題出せばいいってことですか？

犬塚　それはAIでいけそうですね。教科書のデータの中から、「足利義政《あしかがよしまさ》」「幕府」「将軍」と一緒《いっしょ》に使われている単語を探せばうまく答えにあてはまる単語を見つけられると思います。

アヤ　うーんと、じゃあ、「室町《むろまち》幕府が滅《ほろ》びたのはなぜですか」だとどうでしょう。

犬塚　微妙《びみょう》になりますね。教科書から「室町《むろまち》幕府」「滅《ほろ》びる」というキーワードが含《ふく》まれている箇所《かしょ》を見つけてくることはできるでしょう。でもそれを質問に答える形で記述するのは難しいのではないかな。

ヨシキ　えー、じゃあ使えるのは検索《けんさく》だけじゃないですかー！

犬塚　もちろん色々なＡＩ技術の開発が進んでいて、例えば、文章を要約するＡＩなどもありますが、基本的な仕組みはやはり単語の検索《けんさく》なので、たくさん出てくる単語をつなぐという感じになります。文章全体がどんな構造になっていて、趣旨《しゅし》はどういうことか、というのを考えるのは、今のところ人間がやらないとダメですね。

ヨシキ　そうかー、ダメか……。

マコ　ヨシキも一緒《いっしょ》に頑張《がんば》ろうよ～。

アヤのノート

- **説明文を読むことと物語文を読むことは同じじゃない**
- **動画もＡＩも自分で読むことの代わりにはならない**
- **理系でも、大学に行かなくても、よりよく「生きていく」ためには読解力がある方がいい**

第2章　なんで「読めない」の？

誰《だれ》でも文字を読むことができる、と言えるか

犬塚　今回はアヤさんの疑問について答えていきましょう。読むのが得意で好きなアヤさんからすると「本を読むのが嫌《きら》い」とか「読んでも分からない」という感覚がよく分からないみたいですね。

アヤ　私、不思議なんです。みんな日本語のボキャブラリーはあるわけで、そしたらあとは文字が読めればみんな「読める」んじゃないですか？　文字が読めない人なんて、江戸《えど》時代じゃないんだから、今の時代いないでしょう？

犬塚　そんなことないですよ。文字が読めない人は結構います。正確な調査というの

はないようですが、だいたい5％くらいの人が「文字を読むことに困難がある」と考えられますね。※欧米《おうべい》だと10％以上という調査もあります。

アヤ　えっそんなに大勢？　なんで？　学校に行ってない人ってこと？　えっ？

犬塚　結構多いですよね。「読めない」というより「読むのがすごく大変」という方が正確ですが、「読み書き障害」と言われる発達障害の一つがあります。読み書き障害は欧米《おうべい》の方がよく知られていて、学校でも支援《しえん》を受けられることが多いようですが、日本だとまだあまり知られていません。そのため、学校での支援《しえん》も遅《おく》れ気味なようですね。

アヤ　読み書き障害。知的障害ってことですか？

犬塚　知的障害とは違《ちが》います。知的に高いレベルであっても読み書き障害を持っている人もいます。読み書き障害のある学者もいますよ。一般的《いっぱんてき》な意味で言う「視力」に問題があるわけでもありません。

読み書き障害は、文字を読むことと書くことが特別難しい症状《しょうじょう》を指しています。

アヤ　知りませんでした。やっぱり幼稚園《ようちえん》と小学生のときにしっかり練習しないとダメってことですか？

犬塚　練習とは関係ありません。

アヤ　えっ、ないの？

犬塚　はい。生まれつき、文字を文字として読み取るのが難しいとか、文字と音の対応づけが難しいのです。脳の働きが多くの人と違《ちが》っているので、みんなと同じような練習をものすごく頑張《がんば》ってやっても、同じように読めるようにはなりません。事実、読み書き障害を持っている人の多くは、小学校で何時間もかけて必死で練習して、それでもできない、という経験をしています。みんなが当たり前にできることが、一生《いっしょう》懸命《けんめい》やってもできない。これは落《お》ち込《こ》みますし、自信をなくしますよね。本当は早くに「読み書き障害」としての支援《しえん》が受けられるといいのですが……。

アヤ　文字を文字として読み取るのが難しいってどんな感じなんですか？

犬塚　読み書き障害の人に「どんなふうに見えるのか」を尋《たず》ねてみると（品川、2003）、〝文字が整列していない〟〝形の違《ちが》いが分からなくて全部同じように見える〟〝ねじ曲がったりひっくり返ったりして見える〟など色々なバリエーションがあるようです（図2－1）。これを読め、と言われたら……と想像すると読み書き障害の人の大変さが分かりますね。

図 2-1 読み書き障害がある人の見え方（品川、2003をもとに作成）

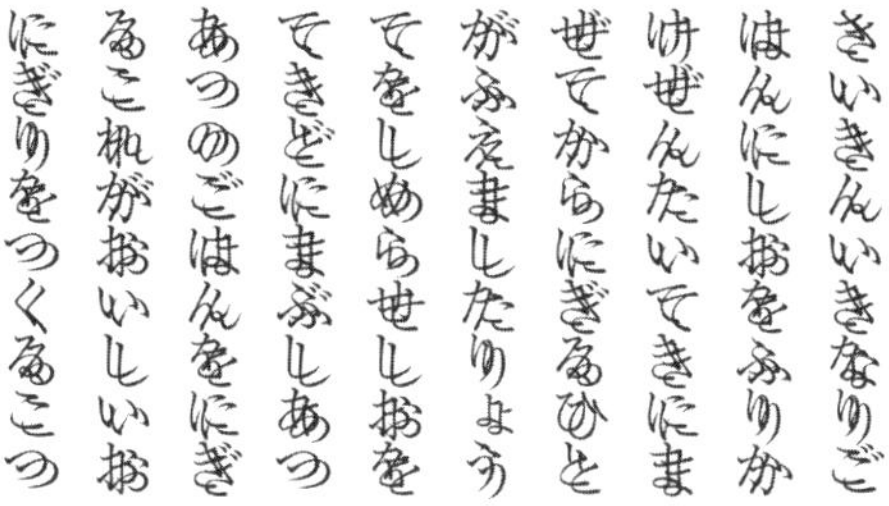

文字が二重にダブって見える

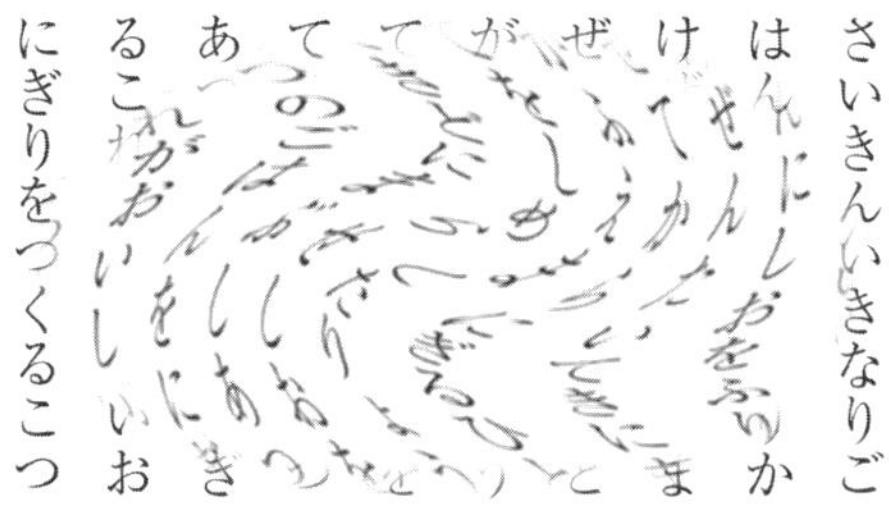

文字がゆがんで見える

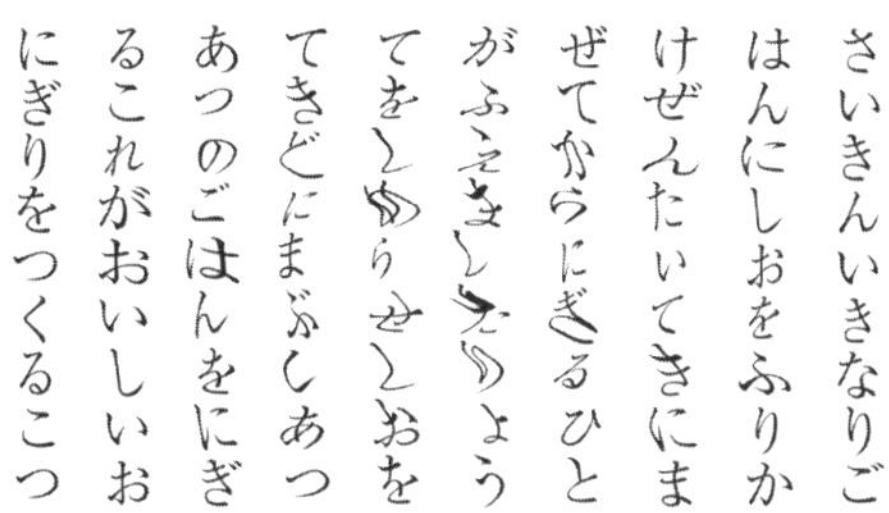

一部の文字が動いているように見える

アヤ　すっごく頑張《がんば》ればなんとか読めるかな……。でもきっと時間がかかるし疲《つか》れますね。読み取るのにいっぱいいっぱいで、何が書いてあるのかまで頭が回らなそう。

犬塚　読み書き障害があって文字を読めない、というのは、さっき説明したように「見えない」という問題と、見えた記号を音に直すのが難しいという問題もあります。

文章を読むときは、まず「文字を読み」ますね。このとき基本になるのが、「文字を音に対応づけて、その音をベースにして『意味』にたどり着く」というプロセスです。ここがスムーズにいかないと、意味までたどり着けないということになります。アヤさんが「読み取るのにいっぱいいっぱいで」と言ったのはまさに正しくて、文字を音にするのが大変だと意味のところに行けなくなるんですね。例えば、文字を覚え始めた子どもが絵本を読んでいるときに、「りー、んー、ごー、がー、りーんーごー……あ、リンゴ！」なんて言ってたりします。一生懸命《いっしょうけんめい》文字を音にしてみるけれども、初めのうちは意味まで行けなくて、あとから、「ああアレのことか！」と意味にたどり着いているのがよく分かります（図2−2）。

アヤ　そうかー。ボキャブラリーがあるっていうと、言葉の知識があるってことで、私はそれなら読むのは簡単かなと思ったけど、そう簡単でもないですね。ボキャブラ

図 2-2 記号（文字）と音を対応づけて「意味」にたどり着く

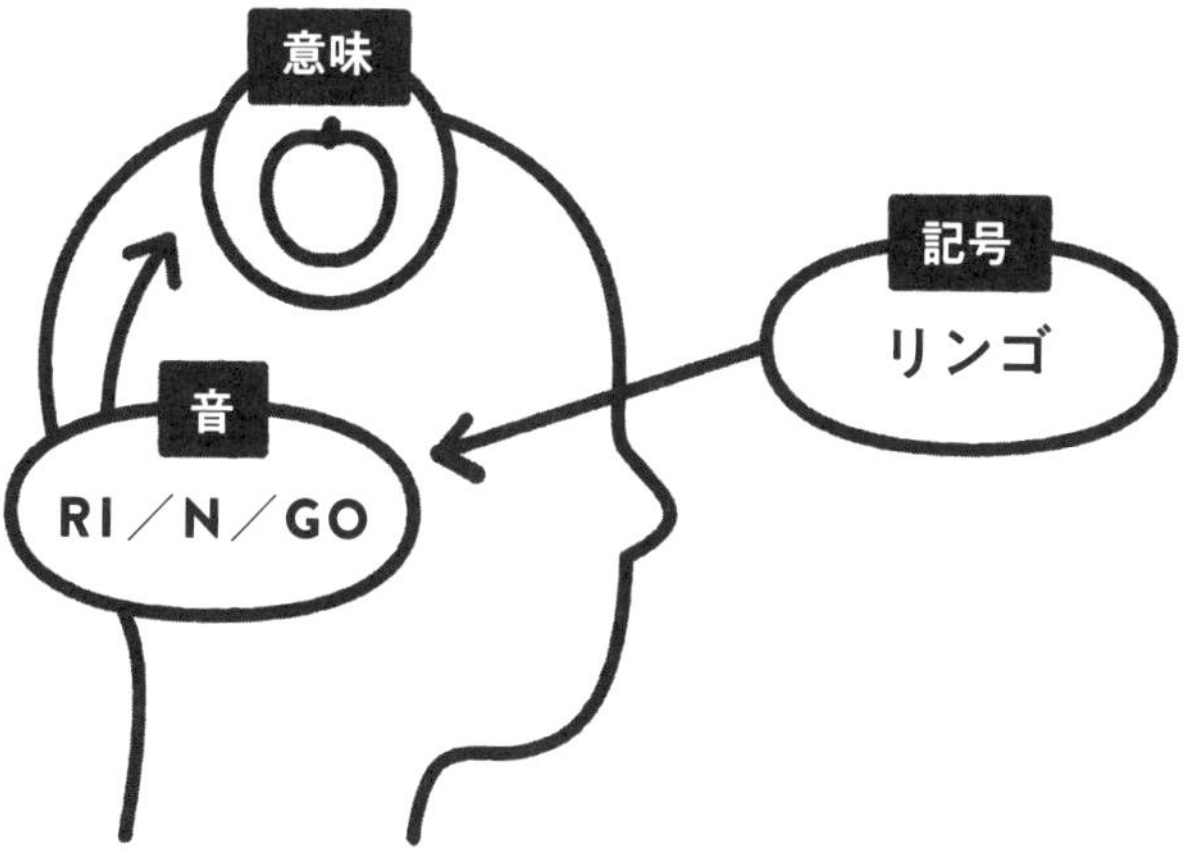

リーがすごくたくさんあっても、文字を読んで音にするっていうところがスッとクリアできないと「読めない」ということになるんだもんなあ。読み書き障害のある人、めちゃめちゃ大変ですね。5％ってことはクラスに一人くらいいるってことかあ……。

犬塚 文字が読めないって大変ですよね。ほかの子は当たり前のようにやりますしね。子どもが自分で「自分は読み書き障害だからよろしく」とはなかなか言えないですよね。なんでできないんだろうってすごく悩《なや》むと思います。保護者や学校の先生が気づいて、読みやすくなる工夫《くふう》を見つけたり、読み上

げ教材を使って勉強が遅《おく》れないようにするといった支援《しえん》をしていくことが必要なんです。

アヤ 読みやすくなる工夫《くふう》があるんですか？

犬塚 先ほどの「音と文字の対応」を練習するトレーニングをすると改善することが多いです。また、見え方を改善する方法として、例えば、一行だけ見えるようなスリットの入ったボードを置くと読みやすいとか、行間を広くするといいとか、色下敷《したじ》きで読みやすくなるとか、いくつかの方法が有効なようです。ですが、しっくりくる方法に結構個人差がありますから、試行錯誤《しこうさくご》が必要になります。いずれにしても、ほかの多くの子どもたちと同じようなやり方ではうまくいかないので、読み書き障害の支《し》援《えん》が絶対必要ですね。

文字が読めれば読める？——ボトムアップの読解

アヤ 読み書き障害は知らなかったけど、じゃあ、読み書き障害がなければ大丈夫《だいじょうぶ》、みんな読めるってことかな。文字が読めれば本読んで理解できるはずってことになり

ますか？

犬塚　一番の基礎《きそ》のところはクリアできるんですが、実は「読んで分かる」というのはもうちょっと色々あるんです。なんとなく「読んだら自然と頭の中に情報が注入されていく」みたいなイメージを持ちがちですが、読むっていうのは実は長い道のりを読む人自身が一生懸命《いっしょうけんめい》歩きながら、全体の地図を作り上げていく、そういう積極的で主体的なプロセスなんです！

アヤ　えー、なんかイメージと違《ちが》うなあ。ずいぶんカッコいい。

犬塚　カッコいいんですよ！

　読む道のりの先に作り上げられる地図のことを「表象」と呼んでいます。ですから、読むということは、頭の中に「表象」を作り上げる作業だと言えます。表象っていうと難しい感じですが、文章内容を頭の中に再現したもの、と思ってください。イメージとして頭に映像が浮《う》かぶようなのが分かりやすいかもしれませんが、言葉のつながりで作られている表象もあります。ここでは、言葉のつながりの表象を考えてみましょう。

　初めに、文字から音、そして意味にたどり着くという道のりがあります。ここだけ

でも結構大変よ、というのはさっきお話ししましたね。
　そこから先、まずは単語と単語の関係を知識や文脈、文法知識を使って「命題」というカタマリにするという仕事が待っています。命題は意味の最小単位と言われていて、動詞や形容詞を軸《じく》に、単語間の関係を示すのが命題です。

アヤ　なんか難しい言葉ですね……。「文」じゃダメなんですか？

犬塚　文が命題に対応するとは限らないんです。一つの文に複数の命題が含《ふく》まれている場合もあります。図2−3を見てください。例えば、「女王は、白雪姫《しらゆきひめ》がリンゴを食べるのを見ていた」だと、文は一つだけど命題は二つ。一つの命題の中にもう一つの命題が入れ子になっているということになります。

アヤ　なるほど。文の数と命題の数は一致《いっち》するとは限らないんですね。さっきの白雪《しらゆき》姫《ひめ》の例だと「老婆《ろうば》に変装した女王は」っていうふうにしたら、ここに「変装した」っていう述語があるからもう一個命題が増えるんですよね。……意味がたくさん入っている盛りだくさんな文と、一つしか入ってないシンプルな文があるっていう感じかな……。

犬塚　そうそう！　そうです。そして、今の例文を考えてもらうと、盛りだくさんな

図 2-3　入れ子になった命題

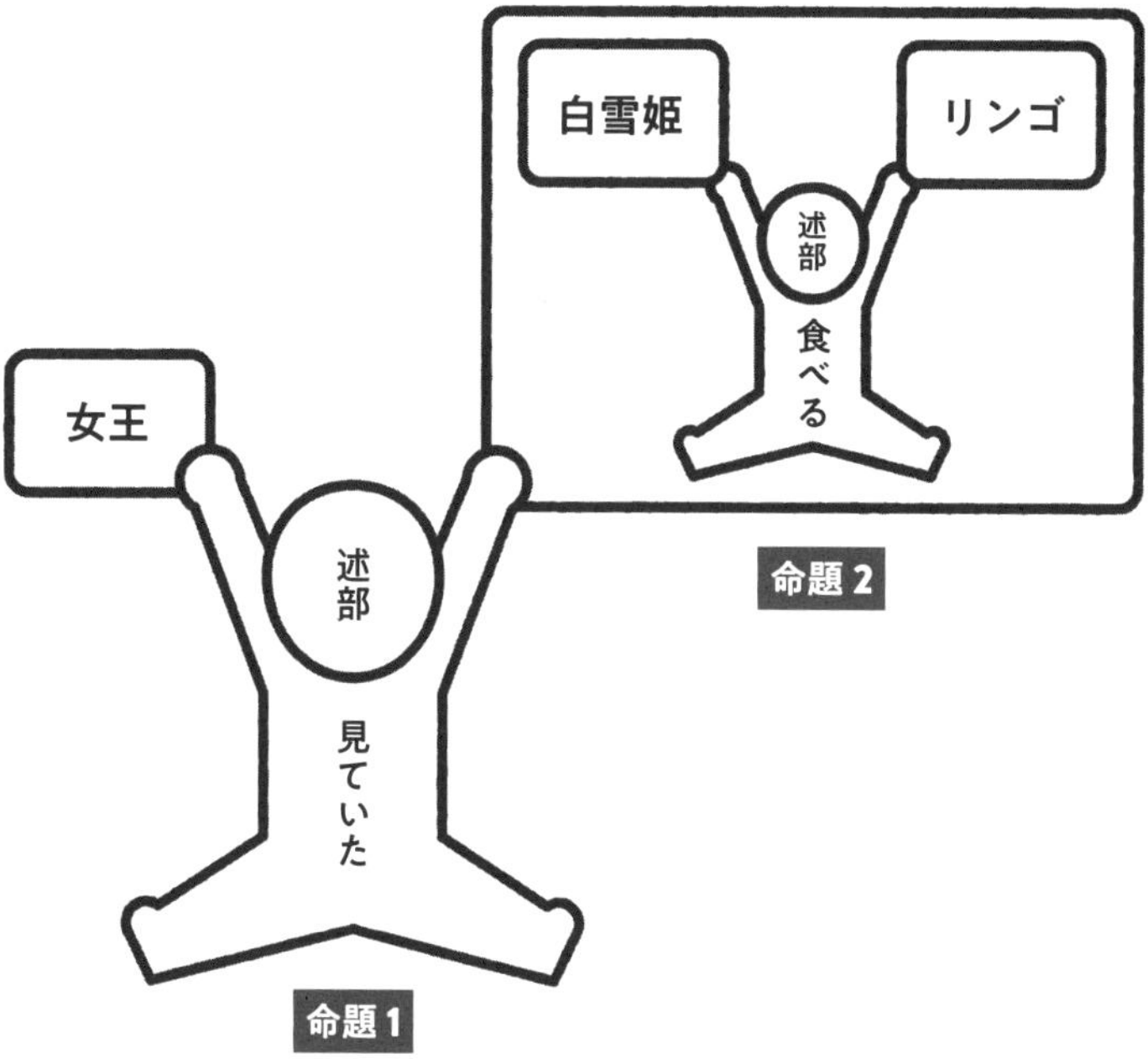

「女王は見ていた」という命題1に
「白雪姫がリンゴを食べる」という別の命題がくみこまれている。

方が難しい感じがしませんか？　「文字は読めるけど、よく分からないよ」の原因の一つとして、盛りだくさんな文が出てくると命題にするのが大変でうまくできない、ということがありそうですね。命題がシンプルな方がラクに読めるわけですが、例えばさっきの「白雪姫《しらゆきひめ》がリンゴを食べる」のようなシンプルな文は伝える内容が少なすぎる感じで、不自然な感じがしてしまいます。自然に書かれた文の中には、たくさんの命題が入れ子状態で含《ふく》まれているので、それを読み解く必要があるんですね。

さらに、ここで違《ちが》う命題とどんなふうにつながっているか、命題同士のつながりを考えていきます。さて、ここで次のＡＢ二つの文どちらもがあるとします。

A　白雪姫《しらゆきひめ》はリンゴが大好きだった

B　小人たちは森に仕事に出かける

どちらの方がさっきの例文と近い関係にあると思いますか？

アヤ　うーん、どっちも白雪姫《しらゆきひめ》の話だから関係あるっちゃ関係あるけど……白雪姫《しらゆきひめ》とリンゴの話ってことで、Ａ！　かな。

犬塚　正解です。読んでいるときもそういうふうに命題と命題の関係を判断しているんですよ。さっきの命題に含《ふく》まれた情報と、今読んだ命題に含《ふく》まれた情報を比べてみ

ると、オーバーラップしてるところがある、となると、この二つの命題は近い関係だな、と考えます。〝小人たち〟はここまでの命題に含《ふく》まれていないから、ちょっと遠い関係、というわけです。

そうやって、いくつもの命題の関係を考えて文章全体でどんなふうに命題が関連しあっているかを考えていくのが「読む」という活動なんですよ。

アヤ なんか、考えてたより大変だなあ。

犬塚 ですよね。しかも、実際の文には省略されてるところがあったりするので、命題と命題のオーバーラップが書かれていないこともあります。さっきの例文も「白雪《しらゆき》姫《ひめ》がリンゴを食べた。それを女王は見ていたのだ」って書いてあったらどうでしょう。女王が何を見たのか、文にははっきり書いてないですよね。

アヤ えー、でも、「それ」って書いてあるから分かりますよ。

犬塚 そう。アヤさんが「それ」に当てはまるものはなにか、を考えたから分かったんです！　単に書いてある情報をつないでいくだけじゃなくて、はっきり書いていないことを「◎◎のことだな」と推論して、命題と命題の関係を作ったんです。命題と命題の関係を作るというのも、「自然と頭の中に情報が注入される」ということでは

なくて、読む人が考えて推測して作っていくものなんですね。

アヤ そういうこといちいち考えているのかなあ。一生懸命《いっしょうけんめい》考えてやってるわけじゃないんだけど……。

犬塚 読むのに慣れてくると、文字から音への変換《へんかん》をいちいち考えてやらないのと同じように、「それ」とか「これ」っていうのが何を指しているのか、省略されてる主語は何か、というような推論は意識しなくても自然にするようになります。だから「よし、ここで『それ』はなにか推測しますぞ！」と意図的にやっているわけではないですね。でも考えてるし推測してるんです。アヤさんは「そんなの当たり前じゃん。いちいち考えないよ」って思うかもしれないけど、最初からみんなが自然にできることでもないのです。

それに、自然にできるとしても、こういうちょっとした推測は「大変」だし「難しい」んですよ。ブリットンとガルゴスの実験（Britton & Gulgoz, 1991）で使われた歴史学習の題材文で考えてみましょう。どっちの方が分かりやすいと思いますか？　どちらかを選んでいいよって言われたら、どっちを選びますか？

A

北部での空戦：1965年

アメリカは、1964年の秋には、サイゴンとワシントン両方において、南部で続くこの問題の源としてハノイに注目するようになっていた。南ベトナム軍が戦場にいる敵を倒《たお》せないことに対するいら立ちが続き、北ベトナムを直接攻《こう》撃《げき》すべきだというプレッシャーが高まってきた。アメリカ人の間には、空戦を北ベトナムに拡大する合意がほぼできていたが、その目的とそこで用いられる方法について市民と軍人には深刻な不一致《ふいっち》が見られた……（8文、203語）

B

北ベトナムにおける1965年の空戦

1965年の初めまでに、南ベトナムとアメリカにいるアメリカ軍人は戦争が継続《けいぞく》する原因は北ベトナムにあると考えるようになっていた。南ベトナム軍は北ベトナムに陣地《じんち》を奪《うば》われ続けており、アメリカ軍人にいら立ちを生じさせた。このいら立ちは、北ベトナムを空爆《くうばく》すべきだというプレッシャーにつながった。北ベトナムの空爆《くうばく》は、ほとんどのアメリカ人に支持された。しかし、市民と軍人の間には、空爆《くうばく》の目的と方法の両方について深刻な不一致《ふいっち》があった……（12文、245語）

Britton & Gulgoz（1991）の刺激《しげき》文を翻訳《ほんやく》

アヤ　うーん……Bの方が長いんですよね。でもBの方がいいかなあ。なんかAは「サイゴンってことは……どこだっけ？」とかいちいちつまずいちゃう。あ、さっき言ってた「それ」とか「これ」もAの方が多いですね。

犬塚　よく気が付きましたね。文字数が短い方が早く読めてラクなんじゃないの？と思いそうですが、そうでもないのです。この例では、「それ」のような単語に加えて、サイゴンと南ベトナム、ハノイと北ベトナムが対応することを推測しないといけないAの方が難しい文章と言えます。加えて、同じ内容をより少ない文で書いているということは、その分、命題が〝盛りだくさんな文〟になっているので、その命題を把握《はあく》するのも大変です。こういう題材文を使って実験してみると、特に読むのが苦手だったり興味がなかったりする人の場合、Bのように、文をよりシンプルな構造にして、推測が必要な部分を減らした方が、よりよく理解できる、という結果になります。実際読むときの難しさに「命題」とか「命題の関係」が関係しているということがよく分かります。大したことないように思える違《ちが》いでも、ちりも積もれば山となる、わけです。

アヤ　ああ、でもあんまり興味ない内容のテキストを先生が持ってきて、「どっち読

む?」って聞いてきたら、短い方って言ってしまいそうですー……。

犬塚 大事なのは、長さより文の複雑さとか推測しないといけない部分がどれくらいあるかっていうところなので、そこを忘れないように!

アヤ はーい。

そういえば、国語の授業でときどき「この指示語が指しているのは何か」みたいな問題ありますね。あの問題は、命題と命題の関係を作るっていうのに関係してる問題ってことになりますか?

犬塚 そうですね。文章を理解するためには、命題と命題の関係が分からないといけない、命題と命題の関係はいつも文にはっきり書いてあるわけではなくて、考えて推測しないといけない、その推測の基本ができてるかな? という問題ってことですね。

それでも分からないこともある——トップダウンの読解

アヤ 犬塚先生、36ページに「ボトムアップ」って書いてあるけど、これってなんですか? 違《ちが》う読解もあるの?

犬塚　さすがアヤさん。よく気づいてくれました。ボトムアップというのは、一つ一つの情報を積み上げていくタイプのやり方なんですが、それとは反対に、全体はだいたいこの範囲《はんい》に入るぞ、という感じで大きな枠《わく》を決めていく方向性があるんです。これを「トップダウン」と言います。

アヤ　じゃあトップダウンの読解があるということ？　えー、まだなんか出てくるのー？

犬塚　まあまあそう言わないで。例えば、次の文章を読んでみてください。

手順は実に簡単である。まず、いくつかの山にまとめる。もちろん、量によっては一山でもかまわない。設備がその場にないときには、次の段階としてどこかほかの場所に行くことになる。そうでなければ、準備はできあがりである。たくさんになりすぎないことが大切である。つまり、一度にあまり多くの量をこなすくらいなら、少なめの量をこなすほうがよい。短期的にみれば、これはさして重要でないように見えるかもしれないが、すぐにやっかいなことになる。ここを間違《まちが》えると高くついてしまうことがあるのだ。最初は手順は複雑に思える

> かもしれない。でも、それはすぐに生活の単なる一側面にすぎなくなるだろう。比較的《ひかくてき》近い将来にこの仕事がなくなるという見通しはない。それは、誰《だれ》にもわからない。手順が完了《かんりょう》すると、またいくつかの山にまとめる。それから適切な場所に入れる。やがて、それらはもう一度使われる。このようなサイクルを繰《く》り返《かえ》さなければならない。でもこれは生活の一部なのである。
>
> ブランスフォードとジョンソンの実験で用いられた文章
> （Bransford & Johnson, 1972を翻訳《ほんやく》（犬塚、2018））

アヤ　読みましたけど……なんですか？　これ。よく分からない。

犬塚　よく分からない。うん。でも別に難しい単語はなかったですよね？

アヤ　それは特になかったです。大丈夫《だいじょうぶ》。

犬塚　さっきまでお話ししていた命題とか命題間の関係でしょうか。

アヤ　いや、それも違《ちが》う気がします……。なんていうか……どこが分からないのって聞かれると困るんですけど、いったい何の話なのか分からないっていうか。そう、ずっとなにやってるんだろうって感じで、肝心《かんじん》の「何の」やり方なのかがナゾすぎて。

なんか難しかったです。

犬塚　フフフ……この文章のタイトルは「洗濯《せんたく》」です。

アヤ　洗濯《せんたく》……ああ、なるほど、なるほど！　そういうことかあ。ああ、確かに！

犬塚　「分かった」感じがしましたか？

アヤ　すごくしました！

犬塚　初めに、タイトルを知らずに読んでいたときになんだか難しく感じたのは「何の話か分からない」状態だったからでした。この「なんの話か」分かると分かる、というのが「トップダウン」の読み方なんです。「洗濯《せんたく》」と聞いたら、それぞれの文が何を指しているのか急に分かるようになりますよね。これは、ここで示されている情報が世の中にたくさんある情報のどのあたりを指しているのか、その範囲《はんい》を狭《せば》められた、ボトムアップの処理を実施《じっし》する「意味の範囲《はんい》」を限定できたということなんです。ぼんやり「色々な意味にとれる」状態から、きっちりと枠《わく》が与《あた》えられて「この表象だ」と分かるようになるんですね。

さっき、白雪姫《しらゆきひめ》の例文を使いましたが、あのときに「小人も白雪姫《しらゆきひめ》の話だから関係あるっちゃある」というふうにアヤさんは言っていたんですけど、それも、あの文を

見たときに「白雪姫《しらゆきひめ》」という枠組《わくぐ》みを当てはめたトップダウンの頭の働きですね（図2−4）。

アヤ　なんの話か分からないと分からないってことかあ。歴史の知識がまったくないと歴史小説はつまらないっていうのもその仲間ですか？

犬塚　そうそう。仲間です仲間。「なんの話か分かる」だけじゃなくて、「〝この文脈でこれはあり得ない〟が分かる」とか、「〝この場合は普通《ふつう》こうなる〟が分かる」とかも、読んで理解する枠組《わくぐ》みになりますよね。

　一回読んでよく分からなかった本をあとからもう一度読んでみたら意外とすんなり頭に入った、という経験をすることもありますね。ボキャブラリーが増えて意味が分からなかった言葉が分かるようになったというような側面ももちろんありますが、それだけではなく、以前はなかった知識が身についたおかげでトップダウンの読み方ができるようになった、という場合もあると思います。

アヤ　どんな知識があるかっていうことが、その文章を読んで分かるかどうかに大きく影響《えいきょう》するんですね。全然知識がない場合はどうしたらいいんだろう。お手上げ？

犬塚　うーん。それ、難しいですよね。でも、例えば「目次をうまく使う」と助けに

図 2-4 文章を読んで理解する道のり

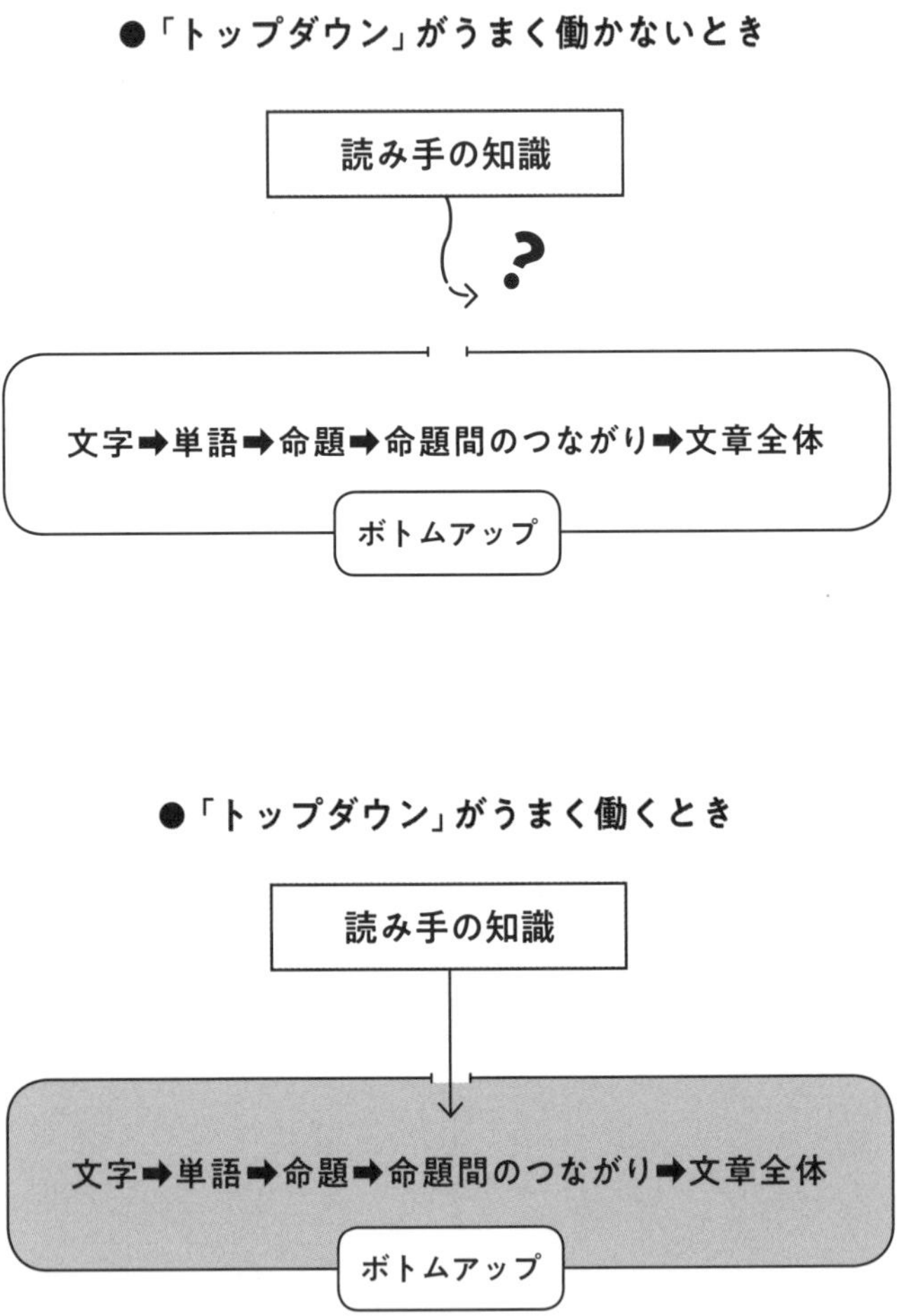

なることが多いかな。あとは、本によっては「まとめ」とか「概要《がいよう》」「キーワード」が章の初めや最後に書かれていることがあります。こうした部分を先に読んでおくのは役に立つことが多いですね。

アヤ どういうことですか？ 目次っていつも飛ばしちゃってたけど……見た方がいいってこと？

犬塚 はい。目次を拾い読みしていくと、「ああだいたいこういう内容が書かれているんだろうな」って何となく内容が想像できますよね。想像できなくても、「こういうことなら知ってるけど、それとは違《ちが》うのかな？」って知ってることが連想されるかもしれません。そういう想像や連想が、まあ多少弱いですが、トップダウンの読み方を助けてくれます。

アヤ 弱いのかあ。一番いいのはそのものズバリについてよく知ってることだろうけど、よく知ってることじゃないから読んで知りたいんだもんなあ。弱いので頑張《がんば》るしかないかー！

アヤのノート

- 文字が読めるのは当たり前ではない。読み書き障害がある場合には、特別なトレーニングや工夫《くふう》が必要
- 意味の単位は「命題」。命題の数が多い盛りだくさんな文は難しい。命題と命題の関係がはっきり書かれていない場合には、それを推測しなくてはならないので、やっぱり難しい
- 知識の枠組《わくぐ》みが当てはめられると分かりやすくなるし、適切な枠組《わくぐ》みがないと理解は難しくなる。本の目次や概要《がいよう》を読むことは、適切な枠組《わくぐ》みをもって読むことを助けてくれる

※注　「通常の学級に在籍する特別な教育的支援を必要とする児童生徒の全国実態調査」（平成15年3月）の「知的発達に遅れはないものの学習面で著しい困難を示すと担任教師が回答した児童生徒の割合」（ＬＤの割合）の４・５％より。

第3章　暗記と理解はどう違《ちが》う？

人の知識はどういうものか

マコ　せんせーい、助けてくださーい。

アヤが、読解力を高めるためにもちゃんと勉強しなきゃダメって説教してきて困るんですよ。トップダウンが大事だ！　とか言って……。

犬塚　アヤさん、よく理解してくれたみたいですね！　よかったです！

マコ　いや、よくないです。少なくとも私には。そんなにいっぱい物事を憶《おぼ》えるってしんどいじゃないですか。私、記憶力《きおくりょく》ないし……。

犬塚　記憶力《きおくりょく》か。マコさんは、記憶力《きおくりょく》ってどんなものだと思っていますか？

マコ　えー？　憶《おぼ》えるのが早い人とかうまい人はやっぱり記憶力《きおくりょく》があるんじゃないんですか？　物知りっていうか。ちょっと勉強したらすぐ頭に入っちゃうっていうか。アヤは「マコは記憶力《きおくりょく》いいよね」って褒《ほ》めてくれるけど、あんまりそういう実感はないんです。私。

犬塚　ふむ。それでは、今日は「記憶力《きおくりょく》」についてお話ししましょうか。人間はモノゴトをどうやって憶《おぼ》えているのか。

マコ　あ、知りたいかも。ボキャブラリーが豊かだっていうのも記憶力《きおくりょく》があるってことでしょう？　そうしたら読解力とも関係ありますよね。

犬塚　そうですね。まずは、人間の知識がどんなふうになっているかをお話ししましょう。頭の中に情報が蓄《たくわ》えられているわけですが、それはどんなふうに蓄《たくわ》えられているのか。

　よく「引き出しの多い人」というふうに言いますよね。なんとなく、頭の中に整理タンスがあって、その中に情報をどんどん入れていく。その引き出しが多いほど、また引き出しの中身が多いほど、「知識のある人」だ、というようなイメージで捉《とら》えられているように思いますが、どうでしょう（図3－1）。

マコ うん、まさにそういう感じで想像してました。

犬塚 ですが、心理学や神経科学（いわゆる脳科学）の知見は、知識は引き出しじゃなくて「連想関係でつながったネットワークになっている」ことを示しています。図3－

図 3-1 「知識のある人」のイメージ

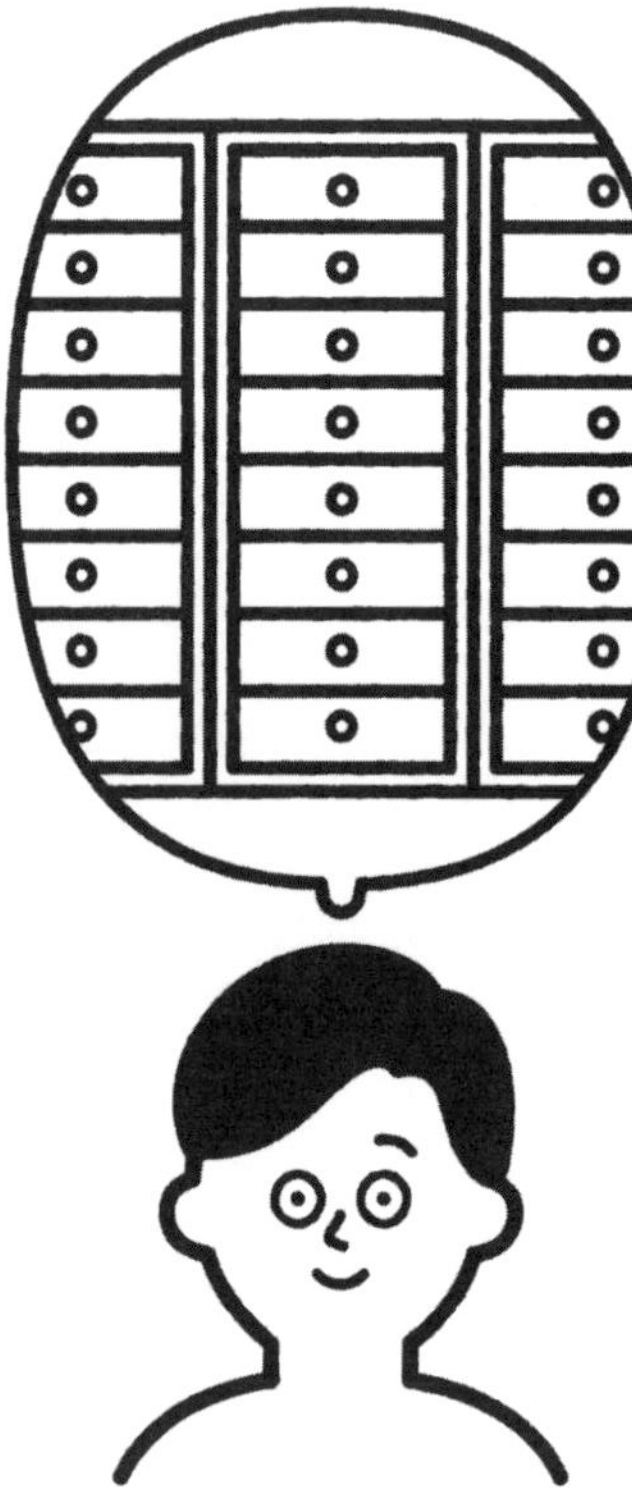

図3-2 心理学的に見た「知識」

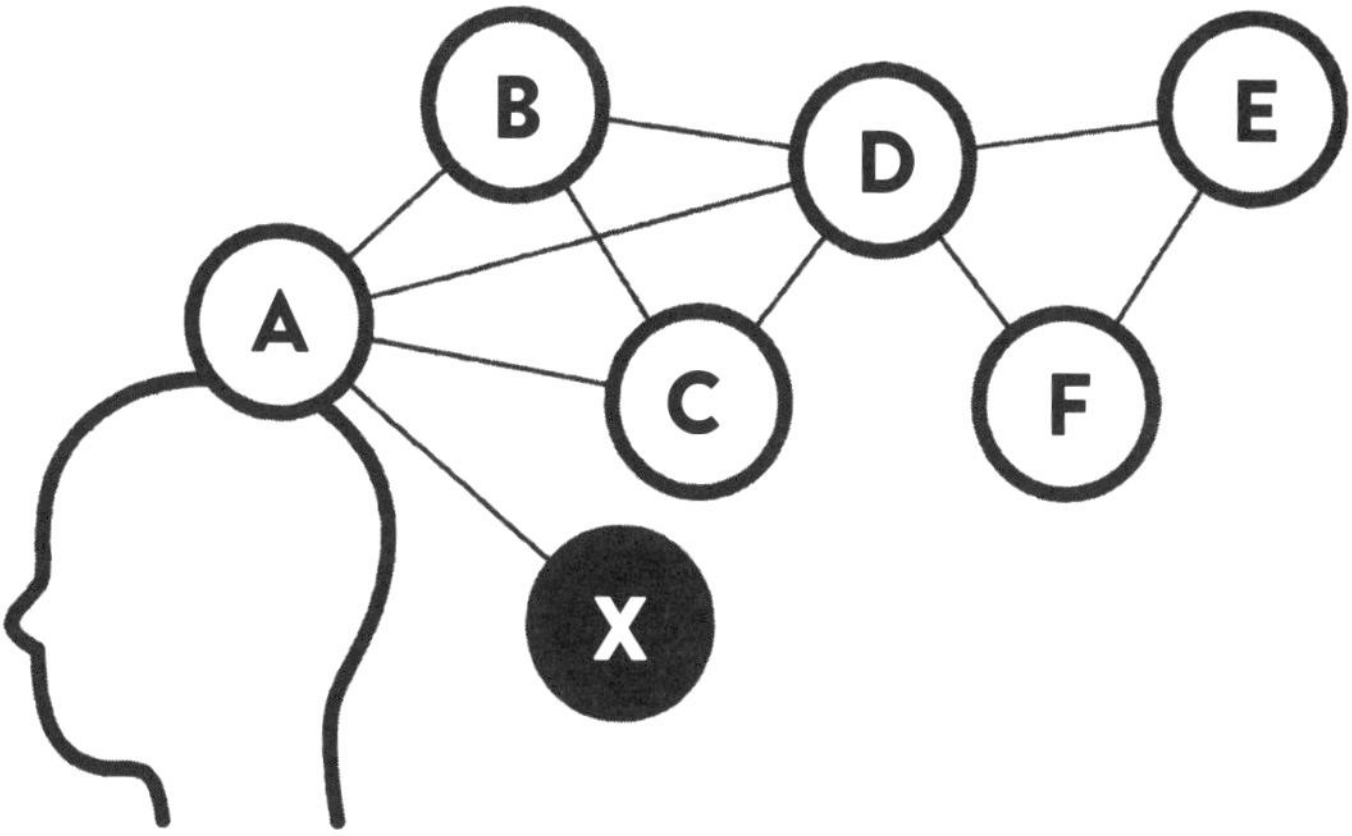

2のように、知識同士のつながりとして知識を捉《とら》えます。この場合、Aという知識とB・C・Dはつながっていますね。Aを聞けばB・C・Dが連想されるし、Cと聞いたらA・B・Dが思い出されるという具合です。でも、XはA以外とはつながっていませんね。ということは、Aと聞けばXが、Xと聞けばAが思い出されるけれども、BやCの情報に触《ふ》れてもすぐにはXは思い出されない、ということになります。知識が豊かだというのは、こんなふうなつながりが大きく広がっているというふうに表現できます。

そういえばマコさんは動物が好きで

したね。例えば、「アザラシ」と聞いたら何が思《おも》い浮《う》かびますか？　思いつくことをどんどん話してみてください。脱線《だっせん》は気にしないでいいですから。

マコ　アザラシですか。アザラシは……かわいい。特に手が……。まず思《おも》い浮《う》かぶのはゴマフアザラシですね。子どもは真っ白なんですが、大人はグレーに黒の水玉模様なんですよ。子どもは真っ白だから、流氷の上で保護色になって、天敵に襲《おそ》われにくくなるみたいです。ゴマフアザラシはアザラシの中では中くらいのサイズで、大きいやつ、ミナミゾウアザラシとかはほんとにでっかくて、大きいやつはアジアゾウくらいの重さになるんですよ。巨大《きょだい》ですよね。で、巨大《きょだい》だからあんまりほかの動物にもやられなくて、すごい深くまで潜《もぐ》ってでっかい魚取って食べるんです。でっかい魚と言えば……

犬塚　いや、そのくらいで！　思ったよりたくさん情報が出てきてびっくりしました。ミナミゾウアザラシ、そんなに大きいんですね。知らなかったです。

マコ　アジアゾウとはいえゾウと同じくらいですからね。5トンとかそれくらいですね！

犬塚　ちょっとしたトラックより大きいですね……。

図3-3　マコの頭の中の「アザラシ」ネットワーク（推定）

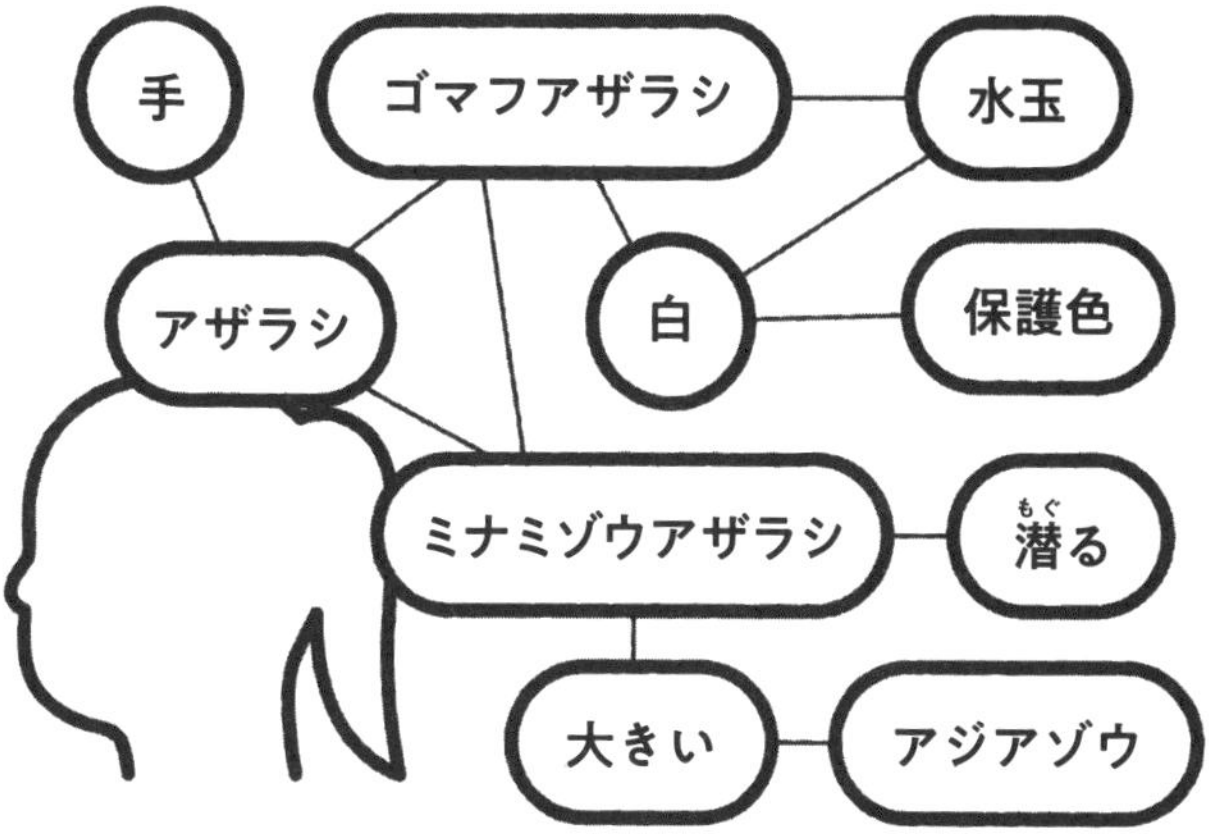

ええと、本題に戻《もど》ります！　今の会話から、マコさんの知識はこんな感じのネットワークで表現できそうですね（図3―3）。でも、おそらくマコさんはもっと色々な知識を持っていて、つながりももっとたくさんあると思います。全部に線を引いたらすごく複雑で大きなネットワークになりますね。ですから、マコさんの知識の巨大《きょだい》で複雑なネットワークの中から、今聞いた言葉に反応してどんどん連想が広がっていく、その様子のスナップショットという感じですね。

マコ　動物から広がるネットワークの大きさと複雑さには自信があります！

犬塚　そのようですね。ということは、動物関連の知識については、マコさんは「記《き》憶力《おくりょく》がある」ということになりませんか？

マコ　うーん。それとは話が違《ちが》うような気がします。私そんなにすぐにたくさん憶《おぼ》えられるタイプじゃなくて憶《おぼ》えるのに時間もかかるから、記《き》憶力《おくりょく》があるっていう感じじゃないですよ。

犬塚　なるほど、記《き》憶力《おくりょく》は「今どのくらいの広がりのネットワークを持っているか」ではなく、どのくらい素早《すばや》く憶《おぼ》えられるか、というところに関わるということですね。では、次に、人間の記《き》憶《おく》のプロセスを見てみましょう。

人が憶《おぼ》える仕組み１　二重貯蔵モデル

犬塚　記《き》憶《おく》の仕組みを理解するために、まず「二重貯蔵モデル」をご紹介《しょうかい》しましょう。モデルというのは、〝理論を説明するための考え方〟です。二重貯蔵モデルは１９６０から１９７０年代に提案された記《き》憶《おく》のモデルですが、人の記《き》憶《おく》の特徴《とくちょう》を理解するのに今でもとても役に立ちます（図３－４）。

図 3-4　二重貯蔵モデル（Atkinson & Shiffrin, 1968をもとに作成）

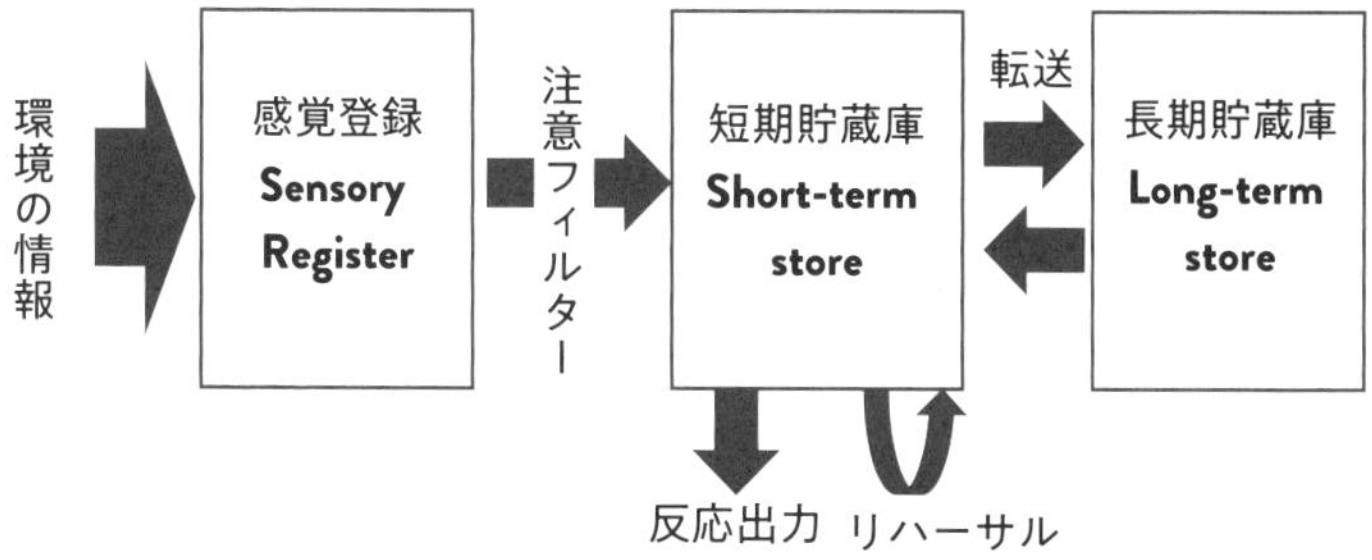

私たちをとりまく環境《かんきょう》には様々な情報があって、目に入るし、耳に聞こえてきますね。これが感覚登録。でもそれ全部を受け止めているわけではありません。私たちが処理するのはそのごく一部だけです。それを図には「注意フィルター」と表しました。

マコ　全部処理してるんじゃないんですか！

犬塚　人間の情報処理の仕組みは、機械と違《ちが》って、感覚が受け止める情報にフィルターをかけているんです。ですから、耳に入ってきても聞こえてない、目に入っても見えていない、ということが起こります。

マコ　そういえば、私、学校で講演会があ

ったときに、ＩＣレコーダーに録音したことがあるんですけど、これが聞き取りにくいんですよ！　会場で聞いてたらもっとはっきり聞こえるんですけど。

犬塚　録音したの？　勉強家ですねえ。

マコ　いや、新聞委員なんでまとめて記事にしなくちゃいけなくて……。それより先生、このときは機械がダメなんだと思ってたんだけど、もしかして私が注意フィルターで雑音を消してたってことなんですか？

犬塚　はい。マコさんが講演を聞いているときは、そのお話に注意を向けていますね。でも、レコーダーは、そのほかの様々な音と講演する人の声を同じように処理します。マコさんは注意を向けていない音、隣《となり》の人のクシャミとか先生の咳払《せきばら》いとかをフィルターで除外しているのですが、レコーダーはそういう処理をしないんです。だからＩＣレコーダーの音が聞き取りにくいなと感じるのですね。マイクや録音後の処理で、そうしたフィルター代わりの処理をすることがありますが、注意フィルターは機械にはない、人間独自の仕組みと言ってよいと思います。

人が憶《おぼ》える仕組み2「まとめろ！」の巻

マコ 注意フィルターを通った情報の行き先が……短期貯蔵庫。短期っていうことはちょっとの期間だけの記憶《きおく》っていうことですか？ 一夜漬《いちやづ》けみたいな？

犬塚 短期貯蔵庫は本当に短いので、一夜も持たないです。せいぜい数十秒ですね。

マコ エッ？ 数十秒？ そんな短い記憶《きおく》って意味あります？

犬塚 一時的に情報をキープするって大事ですよ！ 短期貯蔵庫は、何か作業をしたり、色々なことを考えたり、問題を解いたりするときに使う色々な情報を置いておく場所、だと考えましょう。

　まず「短い間の記憶《きおく》」ということがよく分かる例として、ピザのデリバリーを頼《たの》む場面を考えてみましょう。こういうときには、お店の電話番号を「一時的に」憶《おぼ》えておく必要がありますね。でもずっと憶《おぼ》えておかなくてもよいので、０３－５６３１－××××、という番号を口の中で繰《く》り返《かえ》しながら電話をかけて、無事注文できたそのあとで、「ところでお店の電話番号憶《おぼ》えてる？」と聞かれたら、大抵《たいてい》の人が答えられ

ないのではないかと思います。電話をかけるまでのほんの一時の間だけ短期貯蔵庫に入って、その後は忘れてしまう、というのは、短期貯蔵庫が一時的に情報をキープしておく働きをしているよい例です。

二重貯蔵のモデルの図にリハーサルってありますね。この「リハーサル」というのは、「繰《く》り返《かえ》し唱える」という意味です。忘れないようにするとき、多くの人はその情報を繰《く》り返《かえ》しモゴモゴと口の中で繰《く》り返《かえ》しますね。口に出さずにすることもありますが、そうやって情報を声に出して、あるいは頭の中で繰《く》り返《かえ》して唱えることをリハーサルと呼んでいるのです。リハーサルしている間はずっと頭の中に保存しておけますが、リハーサルをやめてしまうと、数十秒で短期貯蔵庫から消えてしまいます。

ピザのデリバリーに電話をかける場合は、電話をかけるまでリハーサルして情報をキープしていますが、「アメリカン・スペシャルのチーズ増量で……」なんて言っている間に貯蔵庫からなくなってしまうんですね。

マコ　ああ、そういう感じかあ。いったん頭の中に置いておく必要がある場合、結構あるかもしれないですね。そういえば、おととい、お母さんが新しく買ってきたスマートフォンに家のWi-Fiを登録してたんですけど、そのパスワードが長くって、

何度も確認《かくにん》しながらやっと入力してました。お母さん、リハーサルに失敗したのかな。っていうか、情報多いとリハーサルするのも大変ですよね。寿限無《じゅげむ》寿限無《じゅげむ》とか一回でリハーサルすることすらできないですよね。それはどうなるんですか？　記憶力《きおくりょく》いい人はいっぺんにリハーサルできるのかな。

犬塚　素晴《すば》らしい着眼点です。そう、短期貯蔵庫は、時間の制限だけじゃなくて、情報量の制限もあるんです。

マコ　あーやっぱり！

犬塚　でもね、情報量の制限も、あんまり個人差がないんですよ。

マコ　エッ、そこで記憶力《きおくりょく》が決まるんだと思いました……！

犬塚　ミラーという人が、〝Magical number seven, plus or minus two〟というカッコいいタイトルの論文で書いているのですが、だいたいどんな人でも、どんな刺激《しげき》でも、短期貯蔵庫に入る量は〝7±2〟つまり、5~9くらいの間だ、ということなんです。それ以上は容量オーバーで短期貯蔵庫には入りません。無理やり入れるとそれまでに入っていたものが出て行ってしまいます。

マコ　意外と少ないな……っていうか、単位はなんですか？　個？

犬塚 やはりマコさん鋭《するど》い。その通り、そこが大事なんです。単位は「チャンク」と言って、情報のまとまりを1単位としています。では、マコさんにとって、次の数字の並びは何チャンクになりますか？

① 05180213

② 12180413

③ 079411851603

マコ え？ ①と②は8チャンク、③は12チャンクじゃないんですか……？ あっ、②の方は、私とアヤの誕生日だ！ この場合……「私の誕生日」「アヤの誕生日」で2チャンクにできますか？

犬塚 できます。ほかの人にとっては、①も②も8チャンクだけど、マコさんにとっては②は二つの意味あるまとまりになりますから、2チャンクです。まったくの余談ですが、①は私と夫の誕生日なので、私にとっては2チャンクです。

マコ 知らない私には8チャンクです……。それにしても8チャンクだと憶《おぼ》えられるかどうかギリギリってところですね。「暗証番号だから憶《おぼ》えてね」って③出《だ》されたらキツイなあ。見ながらリハーサルしてるうちに最初の方が分からなくなっちゃう。

犬塚　そうですね。容量をオーバーした情報は貯蔵庫の外に押《お》し出《だ》されてしまうんですね。でも、日本史好きにとっては③は3チャンクになりますよ。

マコ　……？　あ、平安京……？

犬塚　正解。平安京遷都《せんと》、鎌倉《かまくら》幕府開幕、江戸《えど》幕府開幕、の年号の並びになっています。

マコ　なるほどー。まとまりにできれば憶《おぼ》えられるのか。

犬塚　はい。短期貯蔵庫に一時的に保存しておくだけであっても、意味のあるまとまりにできるとたくさん憶《おぼ》えられるのですね。短期貯蔵庫に、意味を考えずにまるっと暗記するというのはかなり限界があって、少ししか憶《おぼ》えられないということになります。たくさんの情報を短期貯蔵庫に入れるには「意味あるまとまり」を作ることが肝《かん》心《じん》ということですね。

　さて、マコさん、さっき例に挙げた①②③の数列思い出せますか？

マコ　えっと……①は全然無理ですね。最初が0、次が5？　くらいしか思い出せません。

犬塚　短期貯蔵庫の限界ですねえ。話してる間に時間も経《た》ちましたし、それ以外にも

色々な話をしていましたから、そこで出てきた情報に押《お》し出《だ》されていますもんね。

マコ ②は憶《おぼ》えてます！　私の誕生日とアヤの誕生日の組み合わせだから、１２１８０４１３！　あと、③は初めが０７９４、次が１１８５、最後が……１６０２だっけ？　３かな？

犬塚 意味がある情報は憶《おぼ》えておけるということがよく分かりますね！

人が憶《おぼ》える仕組み３「つなげろ！」の巻

マコ だとすると、短期貯蔵庫に入れる記憶力《きおくりょく》が高い人っていうのは、うまくまとまりを作れる人っていうことになりますよね。つまり……物知りは記憶力《きおくりょく》がいい……？　逆だと思ってたのに。記憶力《きおくりょく》がいいから物知りになるんだと思ったら、物知りになると記憶力《きおくりょく》がいいってことに!?　え、でもじゃあ最初に物知りになるにはどうすればば？

犬塚 ハハハ、混乱してきましたねー。

マコ 笑ってないで教えてくださいよ！　っていうか、物知りになるってことは長期

貯蔵庫にたくさん入ってるってことですよね？　長期貯蔵庫はどうなんですか？　こちらも限界が色々あるんですか？

犬塚　長期貯蔵庫の中がどんなふうになっているか、というのが初めにお話ししたネットワークですね。で、こちらは、限界なし、と考えられます。

マコ　えーすごい。じゃあ、とにかく長期貯蔵庫に送ればいいってことですね！　楽勝じゃないですか！

犬塚　そうでもないです。短期貯蔵庫から長期貯蔵庫に送ることを「転送」と言いますが、転送のやり方がまずいとうまく長期貯蔵庫に入らない、転送失敗、ということになります。

マコ　送ろうとしても送れないということですか？

犬塚　はい。先ほど、長期貯蔵庫の中がネットワークになっている、とお話ししましたね。長期貯蔵庫に送るということは、長期貯蔵庫の知識のネットワークに新しい情報をつなげることなんです。うまくつながらないと保存できないんです。

マコ　ネットワークにちゃんとつながるようなやり方で「転送」しないとダメということなんですね。

犬塚　そうです。具体的に考えてみましょう。マコさん、たくさん憶《おぼ》える必要がある課題、例えば、英単語のテストがあるとき、どんなふうに勉強してますか？

マコ　えっと、憶《おぼ》える単語を単語カードに写して、学校に行く前とか部活終わって帰った後とかにコツコツ見なおすのと、あとスペリングを憶《おぼ》えないといけないから、3回ずつくらい書いて……こんな感じです（図3－5）。

犬塚　それは、わりとつながりにくいやり方ですね。

マコ　エ？　ダメでした？

犬塚　ダメではないです。でもあんまりよくはない。まず、カードに単語がバラバラに書かれていて、意味も一つ単語で書いてありますね。だから、ここで作られるつながりは、この単語とこの意味の1セットだけになってしまいます。単語練習ノートも同じですね。つまり、マコさんはこの1セットのつながりでなんとか単語を長期貯蔵庫に送ろうとしているので、あとから思い出そうとしたときには……。

マコ　セットになっている単語が思い出せないと一巻の終わりに……。

犬塚　そうですね。ほかに手がかりがないからうまくネットワークをたどれなくなってしまう可能性が高いです。

図 3-5 マコの単語カードと単語練習ノート

マコ うーん、だからなかなか憶《おぼ》えられなかったのかー！

犬塚 つながりを作りやすくするには、もっと色々なつながりを作るといいです。ポイントは「整理」と「意味づけ」です（図3−6）。

マコ 確かに分かりやすい感じがするかも。これ見てたら、〝abroadとforeignはどう違《ちが》うのかなあ〟とか〝interがつくと間にっていう意味になるなー、interactもactにinterがついてるって考えると〟みたいに、ほかのことにも発想が広がりますね。

犬塚 そうですね。Interのような接頭辞に注目するとまた違《ちが》うグループが作れて、そのグループで整理しなおしてみると日本語と対応させたときとは違《ちが》ったつながりがまた作れますね。そうやって複数のグループ分けをしていくとつながりが増えて思い出しやすくなります。これで「記憶力《きおくりょく》アップ」になりますね！

マコ うーん確かに……でも面倒《めんどう》だなあ。ひたすら書く方がラクっていうか、私の性に合ってると思うんですけど。

犬塚 ひたすら書く方がラクに思えるのは、たぶんあんまり頭を使わないでもできるからなんだと思います。が、頭を使わないということはつながりができにくいということでもあるので、必死で時間をかけて頑張《がんば》ったのに思い出せない、という結果にな

図 3-6 つながりを作りやすくする憶《おぼ》え方

1. 整理：グループを考えて（意味・品詞など）をまとめたり、対比したりする

2. 意味づけ：①イメージ：単語が表す状況をイメージする
②物語づくり：単語を使ってストーリーを作る
③意味を持たせる：語呂《ごろ》合わせなどで憶《おぼ》えやすい意味を持たせる

整理の例

「外国」 **abroad, foreign, overseas, international**
⇔ 逆の意味 **native, national, domestic**

イメージの例

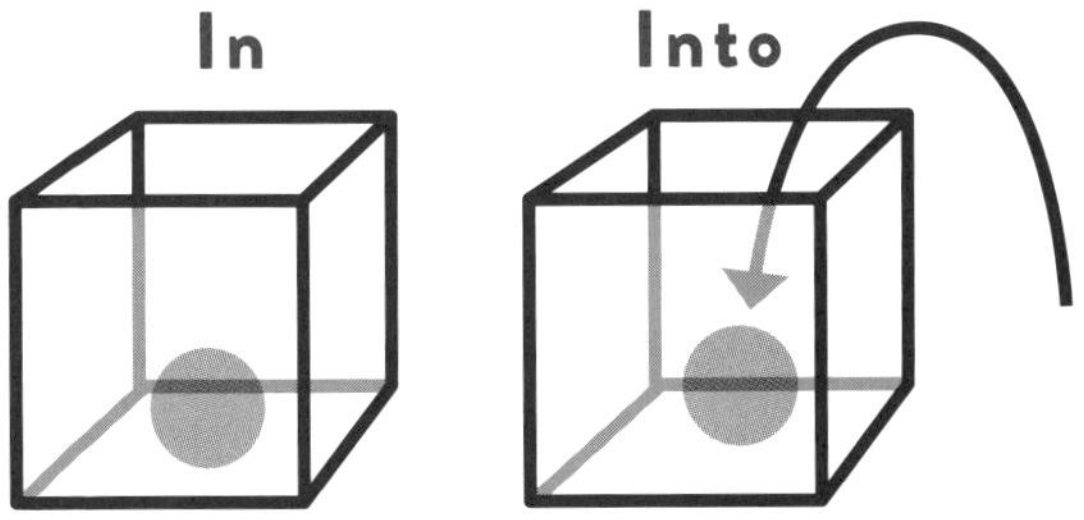

りやすいのが難点ですね。

マコ 大変そうだけど、「記《き》憶力《おくりょく》をアップさせたい！」と思うなら頭を使うべきってことか……。

記《き》憶力《おくりょく》って生まれつきの才能みたいなもので、生まれつき記《き》憶力《おくりょく》がないならもうそれでどうしようもないのかなと思ってたんですけど、頭を使うかどうかなんだとすると、才能とは違《ちが》いますね。何だろう、努力？

犬塚 努力の方向、ということかなと思います。つながりのない情報を一生懸命《いっしょうけんめい》努力して憶《おぼ》えようとしてもなかなか憶《おぼ》えられないから、「ああ自分は憶《おぼ》えられない、記《き》憶《おく》力《りょく》がない」ってがっかりしちゃいますけど、そうじゃないってことですね。

マコ そう考えると、やりようによっては「記《き》憶力《おくりょく》がアップ」するわけで、その方が希望が持てます。あと、さっきの英単語のところで「あーこういう関係？」って考えるのは結構楽しかった！

犬塚 苦行より楽しめる方がいいですね。楽しく記《き》憶力《おくりょく》アップできるように色々考えてみましょう。

記憶《きおく》と読解力——言葉の知識の二つの重要性

犬塚 さて、記憶力《きおくりょく》がどんなものか、について考えてきました。読解の文脈で、たくさんの情報を憶《おぼ》えるということは重要でしょうか。

マコ やっぱりボキャブラリーって大事なんじゃないかな。言葉の知識が多い、たくさんの言葉を知っている方が読解力高くなりそうです。

犬塚 そうですね。読解にとって重要な二つのボキャブラリーについて考えてみましょう。

一つ目のボキャブラリーは、「キーワードのボキャブラリー」です。あるトピックについて、関連する言葉をどのくらい知っているか、のボキャブラリーですね。

マコ まあそうですよね。例えば私みたいに動物に関するキーワードをたくさん知ってたら動物に関する文章を読んで理解する力があるってことですよね。

犬塚 その通り。マコさんの動物に関する「キーワードのボキャブラリー」はすごいですよね！　学校の勉強に関しても、数学だったら「垂直」とか「比例」というよう

な用語が「キーワードのボキャブラリー」になりますね。こうした用語をたくさん知っているほど、読んで理解することがしやすくなります。

マコ まあそうなんですけど、いっぱい憶《おぼ》えておくのも大変ですよね。テストがあるから憶《おぼ》えるけど……今はインターネットもあるし、そのときそのときで調べればいいんじゃないかなとも思うんですけど。

犬塚 そうですね。どんな言葉の知識が必要かはそのときになってみないと分からないので、もしかすると一生役に立たない知識も蓄《たくわ》えてるかもしれないけど、それを知らなかったことでものすごく損する場面が来るかもしれない、としか言えないですね。でも、「ググるにも知識が必要」というのは大事ですよ。

マコ ？　検索《けんさく》画面でキーワードとか知りたい言葉を入れればすぐに結果が出てきますよね？

犬塚 その検索《けんさく》キーワードはどうやって決めてますか？

マコ 関係ありそうな単語とか……？

犬塚 では、マコさん、赤ちゃんライオンを育てて、成長後に野生に返したので有名な女性の名前って分かりますか？

マコ　ジョイ・アダムソンですよね。ええっと、検索《けんさく》するとしたら検索《けんさく》ワードは、「ライオン」とか「野生のエルザ」とかがいいかな。

犬塚　さっき私は「ライオンを野生に返した人」というキーワードは出しましたけど、「野生のエルザ」はマコさんが知識で補った部分ですよね。「ライオン」「野生に返す」で検索《けんさく》してみるといくつかの候補の中に「野生のエルザ」が出てきますから、それを読めば正解にたどり着けそうです。でも「野生のエルザ」を知っていればもっと早く正解が分かりますね。

マコ　まあ確かに知ってる方が早いですね。でもそんなに変わらないんじゃないかなあ。結局答えにたどり着けたし。

犬塚　では、マコさん、野生動物とそれを保護しようとする人間の関わりで言うと、うまくいかなかった例は何か思いつきますか？

マコ　グリズリー・マンの人とか有名ですよね。

犬塚　グリズリー・マンは、アメリカでグリズリーの保護活動をしていたティモシー・トレッドウェルのドキュメンタリー映画ですね。では、私が出したキーワードで、マコさんの出した答え「グリズリー・マン」は検索《けんさく》できるでしょうか？　やってみま

しょう。「野生動物」「保護」「人間」「失敗」で検索《けんさく》してみると……。

マコ 全然出てこないですね。「クマ」とか入れてみたらどうかな……。ダメだ。じゃあ「クマ」じゃなくて「グリズリー」に変えよう！

犬塚 それってほとんど正解を知っている人の行動では……？

マコ うう、確かに。そうか、知っていると知らないとではググるときの行動も違《ちが》うのか……。知らない情報になかなかたどり着けないし、最終的にはたどり着けるとしても、ものすごく面倒《めんどう》だったり時間がかかったりしちゃいますね。

犬塚 本を読むときにも同じことが起こります。分からない単語や言葉があったら調べれば分かるし、そうすれば内容も分かるはずですよね、理論的には。用語が分からないときも、今みたいにキーワードを入れて検索《けんさく》すればどこかで答えを見つけることはできるから、それを新たな知識として読み進めることはできるはずです。でも、そうやっていちいち調べるのは面倒《めんどう》だし時間がかかって大変。そうなると、「読むのって面倒《めんどう》だからいいや」ってなってしまいます。

マコ あと、調べてるうちに話の内容が分からなくなりそう。

犬塚 アヤさんに読解のプロセスについてお話ししたのですが（第2章）、言葉を知っ

ているかどうか、用語の知識があるかどうか、というのは読解のプロセスで言うと結構初めの方、基《き》礎《そ》的《てき》なレベルです。ですから、ここでつまずくとその先の処理もなかなかうまくいきません。いくつかの重要な単語の意味や用語が分からないことが、全体が分からないことにつながってしまうんですね。

「調べればいいじゃん」というのは理屈《りくつ》としては正しいけれど、マコさんも言っているように、調べているうちに、関連するほかの情報が短期貯蔵庫から出て行ってしまったり、それまでに把握《はあく》していた全体像（文章の表象）が分からなくなってしまったりしますから、やはり文章全体の理解が損《そこ》なわれやすくなります。

マコ とすると、やっぱりアヤが言ってたみたいに勉強しないとダメということに……。

犬塚 アヤさんは全体像を把握《はあく》する枠組《わくぐ》みを持つ、トップダウンの処理をするために知識が必要、と言っていたのだと思います（第2章参照）が、ここでマコさんにお話ししたのは、基《き》礎《そ》的《てき》な処理を助けるための言葉の知識という意味での重要性でした。なんにしても、知っていることが読むことをスムーズにするので、マコさん、勉強は大切です！

マコ　はあい……先生、もう一つのボキャブラリーは？

犬塚　はい、もう一つは「学習用ボキャブラリー」です。さっきお話しした「キーワードのボキャブラリー」は特定の文脈で必要な用語としての言葉の知識でしたが、こちらは「色々な文脈で新しい言葉を憶《おぼ》えるために重要な言葉」の知識です。

マコ　今一つピンとこないです。

犬塚　学校で学習するために必要なんだけど、日常生活では使われにくくて意味を憶《おぼ》える機会が少ない言葉のことを「学習語彙《ごい》」とか「学習言語」と呼んでいます。「学習語彙《ごい》」というのは、主に日本語が母語でない人のために選定されたり、その学習の必要性が指摘《してき》されているのですが、日本語が母語であるマコさんたちも学校で勉強したり新しい知識を得ようと思って本を読んだりするときにとっても重要な言葉なんですよ。ちょっと例を見てみましょうか。表3−1に挙げたのは、小中学生の学習語彙《ごい》のうち、よく用いられるものの例です。

マコ　表の言葉、だいたい分かるんですけど、「およそ」はなんかだいたいって意味で合ってるかな……？　自信ないな。あと「面」も難しいなあ。こういう言葉が出てきたらちょっと逃《に》げたくなるかも……。

表 3-1 学習用ボキャブラリーの例（バトラー後藤、2011；田中牧郎、2011；河内、2014を参考に作成）

名詞	形容詞・副詞	動詞
値、影響、感想、グラフ、参照、参考、姿勢、状態、資料、対話、立場、流れ、物質、部分、面	あるいは、一方、主に、およそ、さらに、特に、様々な、すべて、共に、順に、適切な、ほぼ	応じる、囲む、重ねる、関する、従う、示す、対する、伴う、成り立つ、述べる、交わる、果たす

犬塚　日常生活では使わない言葉が多いですもんね。こういう言葉は、大人とか本を書いている人は「きっと読んでる人も分かるだろう」と思っているので、プラスアルファの説明なしに、何気なく使われがちです。読む側もなんとなく「こんな意味かな？」と推測したりして済ませてしまうんですが、それで誤解したり意味が分からなくなって「もういや」となってしまうこともあるでしょう。「学習用ボキャブラリー」は、身についていないと、その先勉強するのに困ってしまう、重要な言葉の知識なんです。

マコ　実はちゃんと意味が分かってない学習用ボキャブラリーがあるかも。「って感じかな」で済ませないで調べたりした方がいいのかな。先生にも聞いてみよう。こんな基本的な言葉も分からないなんて、って呆《あき》れられちゃうかな……。

犬塚　大丈夫《だいじょうぶ》。説明するのは先生の大事なお仕事です！　先生たちも意外と「こういう言葉が分かりにくい」って分かってないときもあると思いますから、どしどし聞いて、先生たちにも難しさを分かってもらいましょう！

マコのノート

- 知識はネットワーク構造になっている。タンスに詰《つ》まってるわけじゃない。つながりがある情報なら連想で思い出せるけど、つながりがない情報は頭の中にあっても思い出せない
- つながりのある知識を作るためには、「整理」「意味づけ」が大切。ただ繰《く》り返《かえ》すのはつながりが作られにくいのでイマイチ
- 読むときに、単語が分からないことは全体理解を妨《さまた》げる。「キーワードのボキャブラリー」と「学習用ボキャブラリー」の両方を身につけよう

第4章　忘れてしまうのはなぜ？

忘れる理由その1　転送失敗

マコ　先生、夕べ一晩考えたんだけど、やっぱり記憶《きおく》について納得《なっとく》いかないことがあります！

犬塚　どんなことでしょう？

マコ　長期貯蔵庫に送ったら「なくならない」ってことでしたよね。ちゃんと転送できれば忘れないって。

犬塚　はい、基本的には。そうですね。

マコ　でも、それだと「前にちゃんと憶《おぼ》えてたのに思い出せない」ってことが起こる

のおかしいと思うんですよ。例えば、中間テスト前日に頑張《がんば》って勉強して英単語憶《おぼ》えて、テストのときはちゃんと思い出せたんだけど、学年末テストだと思い出せないってことあるじゃないですか。それに、課題で読んでた本の内容も、「よし分かったぞ」って思ったのにざっくりとしか憶《おぼ》えてないし。しばらくはテストの答えも本の内容も憶《おぼ》えてたわけだから、短期貯蔵庫じゃないですよね。長期貯蔵庫にちゃんと入れたってことですよね。なのに、思い出せないの、おかしいですよ。

犬塚　なるほど。確かに、時間が経《た》つと思い出せなくなるということは、19世紀の研究でも示されています。

マコ　え、19世紀？　百年以上昔じゃないですか！

犬塚　ですねえ。エビングハウスという人の研究（Ebbinghaus, 1885）で、自分自身を被《ひ》験者《けんしゃ》にしています。自分自身が被験者《ひけんしゃ》、というところが19世紀っぽいですが、今でも結果がちゃんと再現されるすごい研究ですよ。

マコ　忘れることに関する研究なんですか？

犬塚　はい。さっきマコさんが出した例だと、テストのために英単語を憶《おぼ》えるっていう状況《じょうきょう》に近いです。エビングハウスはまず、アルファベット3つをセットにした「ニ

セ単語」をたくさん作りました。それをまず頑張《がんば》って憶《おぼ》えます。

マコ　ニセ単語ということは、ほかと全然つながりがないってことですよね。つながりのないものは憶《おぼ》えにくいはずだから、エビングハウスさん、苦労したんじゃないかな……。

犬塚　そうですね。私もあまりやりたくありません……。

で、完璧《かんぺき》に憶《おぼ》えられたところで、時間をおいて、「もう一回完璧《かんぺき》に憶《おぼ》えるのにかかった時間」を記録します。これを、初めに全部憶《おぼ》えたときから次に憶《おぼ》えなおすまでの時間を色々に変化させて繰《く》り返《かえ》しました。

マコ　まあ、直後は結構憶《おぼ》えてそうだから、ちょっと思い出せないやつを確認《かくにん》したら全部憶《おぼ》えなおせそうですよね。でも、そうだなー、1日経《た》ったらキツイだろうなー。

犬塚　マコさんの直感はだいぶ正しいです。エビングハウスは憶《おぼ》えなおすのにかかった時間と初めにかかった時間の比を「節約率」として計算しました。初めよりうんと短い時間で済んだ場合は節約率が高く、初めに近いくらい時間がかかったときには節約率が低くなります。グラフにしてみるとこんな感じになります（図4-1）。

マコ　初めの方にすごい勢いで節約率が下がるんですね。これはつまり、憶《おぼ》えたこと

図 4-1　Ebbinghausの忘却《ぼうきゃく》曲線（Ebbinghaus, 1885をもとに作成）

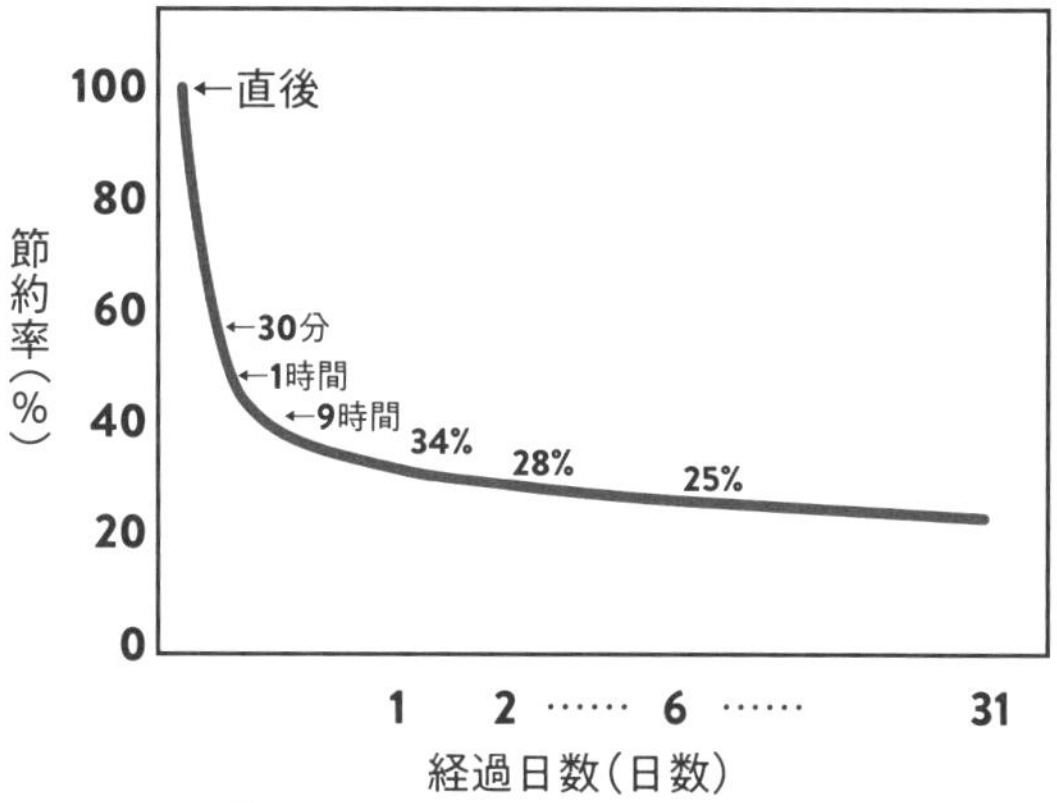

は一気に忘れていくということでは……悲しい。

でも、エビングハウスさん、ちゃんと全部長期貯蔵庫に入れられたんですかね？　怪《あや》しくないですか？　直後は全部憶《おぼ》えてるかもだけど、その一部はちゃんと長期貯蔵庫に送られてないかもしれないですよね。30分後に忘れていたもののうちいくつかは短期貯蔵庫から長期貯蔵庫に転送できなかった可能性ないですか？

犬塚

そうですね。長期貯蔵庫への「転送の失敗」が「忘れる」ことの原因の一つです。この場合は、憶《おぼ》えたと思ったけど、そもそも転送に失敗していて長期貯蔵庫に入らなかった、だから思い出せないというわ

けですね。

初めに説明したように、エビングハウスが使ったのは意味のないニセ単語でしたから、長期貯蔵庫に送るためのつながりが非常に少ない状況《じょうきょう》だと言えます。そのせいで長期貯蔵庫に送るのに失敗しているケースも多そうです。

忘れる理由その2　つながりがたどれない

マコ　うーん、でもそれだけじゃないですよね。そもそも短期貯蔵庫にはそんなにいっぱい入らないはずだし、その後も順調に忘れてるし。1時間経《た》っても憶《おぼ》えてたのに1日経《た》ったら忘れちゃうものもあるんですもんね。うーんこれはいったい……？

犬塚　そうですね。人が「忘れる」パターンの一つ目は「つながりが途絶《とだ》える」ことだと言えるんです。

マコ　先生が言ってる「つながり」って道を作るみたいな感じです。で、長期貯蔵庫へ転送するには道ができないとダメ、だからつながりがないと憶《おぼ》えられないっていうことでしたよね。

犬塚　道というのはいいたとえですね。道が作れないからそもそも長期貯蔵庫に行けない、というだけでなく、一度道を作ってもその道をたどれなくなってしまうことがあると、それは「忘れた」という状態になります。

マコ　道を作ったのに？　どういうことですか？

犬塚　道がたどれなくなってしまうのには、大きく分けて二つの場合があると言えます。そうですね、道のたとえで言うと、「道を見失う」「邪魔《じゃま》する要素がある」の二つです。

まず一つ目から説明しましょう。

うーんそうですね……急に話は変わりますけど、マコさん、あの人の名前なんでしたっけ？　この前話してた、育ててたライオンを野生に返した有名な人……映画にもなったあの……

マコ　？　急にどうしたんですか？　ジョイ・アダムソン？

犬塚　そう！　ジョイ・アダムソンです！……

みたいな経験ってありませんか？

マコ　ああ、そういう例でしたか！　うん、ありますね。忘れたーって思ってても、

誰《だれ》かが正解を言うと「そうそう！　それ！」って分かるっていうの、よくあります。この間もテストのあとで、「〝招待する〟って英語でなんだったっけ？　忘れちゃった！」って友達に言ったら「inviteじゃない？」って言われて。そしたら「あー！　そうだそうだ！　inviteだ！　思い出せなかったなあ」ってなりました。せっかく憶《おぼ》えたのに忘れちゃったら意味ないですよね。

犬塚　そんなふうに、忘れたと思っていたけど、ほかの誰《だれ》かが答えを言ったらそれだと分かる、ということ、ありますよね。でも、その忘れたと思っていた情報は記憶《きおく》の長期貯蔵庫からなくなってしまったんでしょうか？　もしなくなってしまったのなら、お友達が言ったことが「正解」だと分かったのはどうしてでしょうか？

マコ　あっそうか。確かに、本当に何もなくなってるなら正解を聞いても分からないはず……。

犬塚　思い出せなくなってしまう原因の一つが、そんなふうに「頭の中に情報は残ってるんだけど、その情報にたどり着く道が見つからない」という状態にあると考えられます。これを「検索《けんさく》の失敗」と呼んでいます。

マコ　なるほど、その情報につながる道はあるのに、その入り口が分からないみたい

な感じですか？

犬塚 はい。その入り口のことを「検索《けんさく》手がかり」と言います。違《ちが》うたとえで言うと、ちょうどインターネットの検索《けんさく》をしようとするときに、検索《けんさく》キーワードが見つからないという状況《じょうきょう》に似ていますね。

マコ じゃあ、二つ目の邪魔《じゃま》する要素って例えばどんなものですか？

犬塚 言ってみれば、ほかにもっと「もっともらしい道」があるせいで、本当にたどるべき道がどれか分からなくなってしまうことです。これはほかの情報による「干渉《かんしょう》」と呼ばれます。これも古典的な研究ですが、ジェンキンスとダレンバックの実験 (Jenkins & Dallenbach, 1924) は有名です。彼《かれ》らの実験では、単語を暗記させた後で寝《ね》た人と普通《ふつう》に生活した人でどちらが事後テストでその単語を思い出せたか比べてみました。すると、暗記の後寝《ね》た人たちの方が多くの単語を思い出せました。起きていた人はその後色々な活動をしていたので、何か思い出そうとしたときに、どの道をたどればいいか分からなくなってしまったのだと考えられます。

マコ そういえばアヤと俳優の話してたときにどうしても名前が思い出せない人がいて、「全然違《ちが》う人の名前が浮《う》かんできて思い出せないい～！」って大笑いしてたんです。

これも別の俳優さんの名前が邪魔《じゃま》する要素になっているんですね。

犬塚　ありますねえ、そういうこと。入り口が分からなかったり、ほかの要素が邪魔《じゃま》して道が分からなくなっている場合に、誰《だれ》かが「この道じゃないですか」と教えてくれると、その道をたどって長期貯蔵庫の中の情報にたどり着ける。そうなると「ああそうだった」と「思い出す」ことができるんですね。

マコ　長期貯蔵庫の中からなくなったわけではなくて、そこにあるんだけど、たどり着くためのつながりが一時的になくなってるっていうのが「忘れる」ってことになるんですね！

忘れる理由その3　作りなおし

犬塚　もう一つ「忘れた」につながるのは、初めにマコさんが挙げていた例のうち、「読んで分かったと思ったのに忘れてしまう」という場合に当てはまりやすい「作りなおし」です。専門的な用語では「再構成」と言いますが、まとまりのある情報を頭に入れようとするときに、私たちはどんな構造になっているかを分析《ぶんせき》してそれを頭の中に

表象しなおそうとするんです。言《い》い換《か》えると、バラバラの情報がどんなふうにつながっているかを考えて、頭の中でつながりを作りなおしているのです。そのときに、抜《ぬ》け落《お》ちる情報があるので、それが「忘れた情報」ということになるんですね。

マコさん、初めに言っていた「本を読んで憶《おぼ》えたと思ったのに忘れてしまう」というときの「忘れた」は、全部忘れたわけじゃないでしょう？

マコ　そうですね……あらすじっていうか、何について書いてあったかっていうところはさすがに忘れないです。あと、なるほどー！　ってすごく感心したところとか、あんまり本筋には関係ないかもしれないけど、自分が思ってたのと違《ちが》うなっていうところは憶《おぼ》えてるなあ。

犬塚　逆に言うと、詳細《しょうさい》な情報やよく理解できなかったところ、印象に残らなかったところは忘れたというわけですね。

マコ　そうなりますね。

犬塚　ということは、自分の知識や理解によって作られた道が変わっていて、道があるところは憶《おぼ》えているし忘れていないということですね。

バートレットという人のこれもまた古い研究（Bartlett, 1932）なのですが、実験に参加

した人たちに物語を憶《おぼ》えてもらって、あとで思い出してもらったところ、マコさんのように細かいところは忘れられていること、また、つじつまが合わないところは忘れられていたり、つじつまが合うように話が変えられていたりしたことが分かりました。

マコ　エッ、忘れるばかりか改変しちゃったんですか？　それはダメでしょー。

犬塚　いやいや、その人たちも「つじつまが合わないな、ヨッシャ改変してやろう」ってわざとやったわけじゃないんです。長い物語を憶《おぼ》えようとすると、自分たちの持っている知識や、情報の構造を考えて大事そうなところを優先したり、つながりができるようにしたりするような仕組みを私たちは持っているってことなんです。

マコ　自然と要約してしまうってことですか？　それって、物語だけですか？　説明文でも？

犬塚　意味のあるまとまりのある文章の理解の場合、なので説明文でももちろん起こります。

例えば、ごみを減らすための処分や活用の工夫《くふう》について述べた説明文の場合、文章全体の構造は、図4-2のように表すことができます。

具体的な情報や詳《くわ》しい情報一つ一つは「ミクロ命題」と呼ばれています。図ではP

図 4-2 マクロ命題とミクロ命題（Mはマクロ命題、Pはミクロ命題を表す）

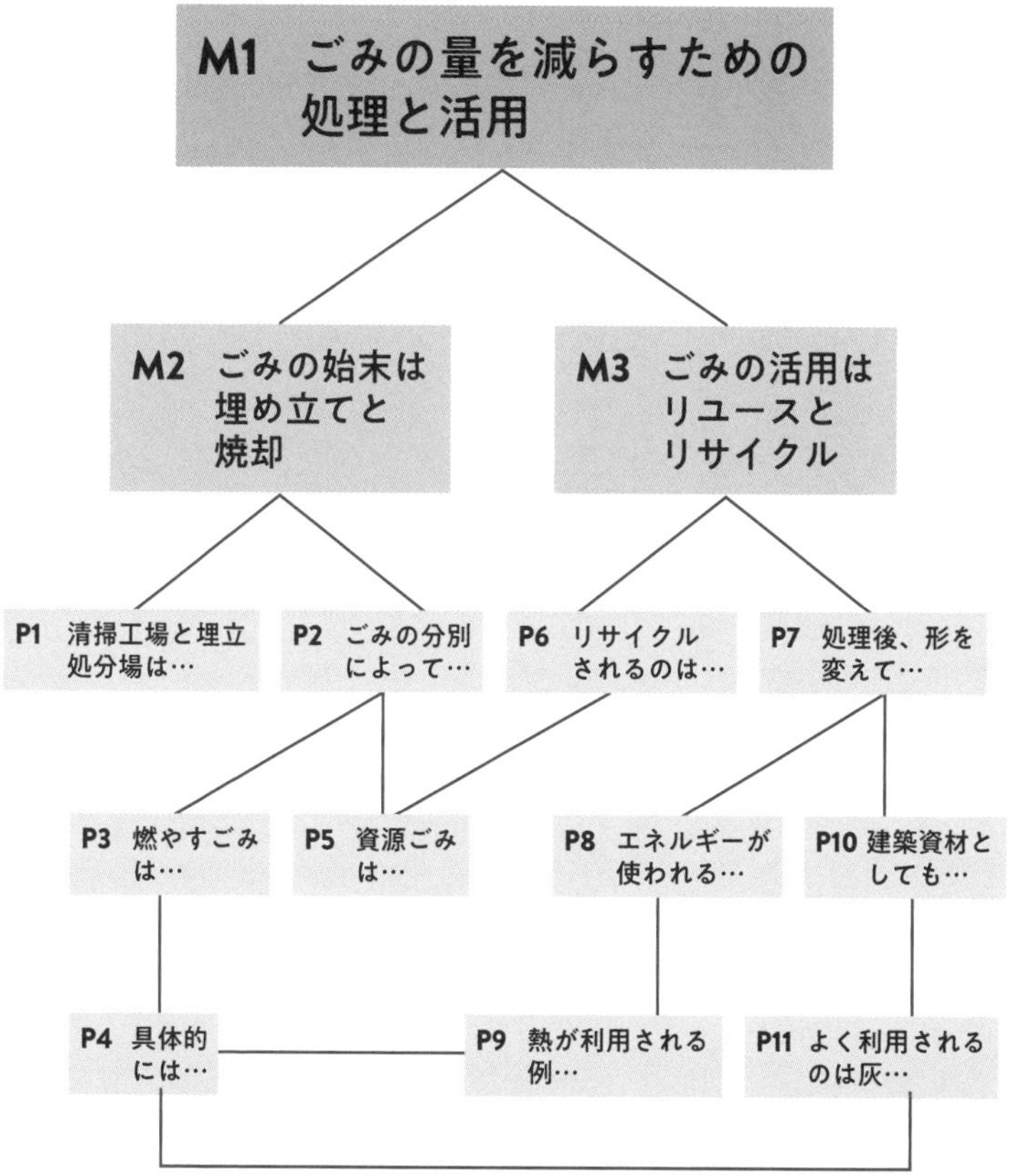

で表されています。「ミクロ命題」をまとめたり抽象化《ちゅうしょうか》したりしたものが「マクロ命題」で、図ではMと記されています。

マコ　分かりません。

犬塚　ハッキリ言いますね……。

　まず、命題というのは文章の中で表現されている意味一つ一つを指す、と憶《おぼ》えておきましょう（詳《くわ》しくは第2章）。Pで表されているミクロ命題は、それぞれ文中に出てくる個々のトピックに関する説明をしている命題です。

マコ　例えば、P1は清掃《せいそう》工場について述べている部分を表していて、P4は燃やすごみの処理の仕方の具体的な説明が書かれている部分、と思えばいいですか？

犬塚　はい、そういうことです。それぞれがほかの命題と関連しあって一つのトピックについて説明をしているので、PとPがつながっているのが分かりますね。

マコ　あ、だから、P4とP9・P11の間に線があるのか。これは、ごみを燃やしたときの熱とか灰が利用されるっていうつながりですね。

　上の方はMになっていますけど、これが「マクロ命題」なんですね？　これは何だろう、まとめのM？

犬塚　マクロのMですが、まとめのMでも意味が通じますね。Mで示しているマクロ命題は、Pで示したミクロ命題をまとめた内容になっていますから。マクロ命題は文章の中にはっきり書かれていることもありますが、書かれていないところを人間が補って全体像を理解することもあります。

マコ　あ、それって元の文章にはない情報を勝手に足してるってことですよね？　それが「自然に改変してしまう」ってことですか？

犬塚　その通りです。書いてあるそのままをコピーするように憶《おぼ》えるのではなくて、文章全体の構造を読み取って、なかった情報を補って憶《おぼ》えたりもするんですね。

　文章を読んだあとで記憶《きおく》に残りやすいのはミクロ命題ではなくマクロ命題なんです。ですから、細かいことは忘れたけれども、「こういう内容だった」「要するにこういうことだ」という記憶《きおく》はある、ということですね。

　細かい個々の内容は、自分の知識やほかの情報とのつながりが限定的になりますが、より一般《いっぱん》的《てき》な内容はたくさんの情報とつながることができます。マクロ命題が記憶《きおく》に残りやすいのは、そういったほかの情報とのつながりやすさからも理解できます。

マコ　うーん。なんか、忘れちゃうのは仕方ない、大事なマクロ命題が憶《おぼ》えられてい

ればいいじゃない、という気持ちになってきました。

犬塚　確かに、詳細《しょうさい》な情報まですべて丸暗記しようとするのは難しいですし、あまり重要ではないかもしれません。説明文で挙げられている具体例を忘れていても、つまりどういうことだったかが忘れられていなければ、理解できていると言えますね。また、つまりどういうことだったかが忘れられていなければ、自分で違《ちが》う具体例を考えることもできそうです。文章の構造をよく把握《はあく》して、マクロ命題をしっかり憶《おぼ》えておくことを意識するとよいですね。

忘れないためにはどうすればいい？

マコ　とはいえ、せっかくだから忘れないように工夫《くふう》もしたいです。

犬塚　そうですね。まずは情報のつながりの「道」というマコさんのたとえを使って考えてみましょう。道は一時的に見失う場合だけでなく、道自体が崩《くず》れかけてる、という状態のときもあります。基本的に情報と情報の間のつながりの道は、時間が経《た》つと崩《くず》れやすくなると思ってください。

マコ　なんか山《やま》奥《おく》の村につながる山道、みたいですね。昔はみんなが通っていたけれど、今は人が通らなくなってしまったからボロボロになってしまいました、みたいなやつ。

犬塚　もともと細い山道なら、人が手を入れなくなったらすぐに通れない状態になりそうですね。でも、もともとの道がすごく広くてしっかりと作られた道だったらどうですか？

マコ　しばらくは放置してても通れそうですね。

犬塚　つまり、忘れないためには広くてしっかりした道、つまり強いつながりを作ることがまずは大事ということになります。

マコ　一周回って初めの「憶《おぼ》えるときはつながりが大切」に戻《もど》ってきた感じ……。

犬塚　はい。忘れる原因がつながりにあるなら、忘れないためにはつながりをなんとかすればいいんです。道のたとえで言うと、「できるだけしっかりした道」「強いつながり」を作ることが大切ですね。その点、エビングハウスの実験材料はちょっと道が作りにくいですね。

マコ　なにしろ、意味のないニセ単語だからなあ。

犬塚 同じような実験を、ちゃんと意味のある実験題材を使ってやってみると、忘却《ぼうきゃく》曲線のカーブが緩《ゆる》やかになるんですよ。オリジナルのエビングハウスの実験材料と違《ちが》って、つながりが作れると、忘れるスピードも遅《おそ》くなるということですね。

でも、なかなか強いつながりが作れない場合もありますよね。そういうときはどうしたらいいのかな。あきらめるしかないですか？

マコ うーん。道のたとえで考えると、その道を手入れし続けるといいかな。つながりを手入れするって変ですか？

犬塚 変じゃないです。大正解です。山の細いけもの道でも、常に通っていればその道はたどれる状態がキープされますよね。同じことで、しょっちゅうその道を通ればいいんです。

マコ 道なら分かるけど、つながりを通るってどういうことですか？

犬塚 その情報を思い出す機会をたくさん作るということです。

初めに紹介《しょうかい》したエビングハウスは、一度憶《おぼ》えたあと忘れてしまったニセ単語の憶《おぼ》えなおしを繰《く》り返《かえ》した実験もやっているんです。そのときの節約率を示すのが次の図です。

図4-3　憶えなおしをしたときの忘却《ぼうきゃく》曲線

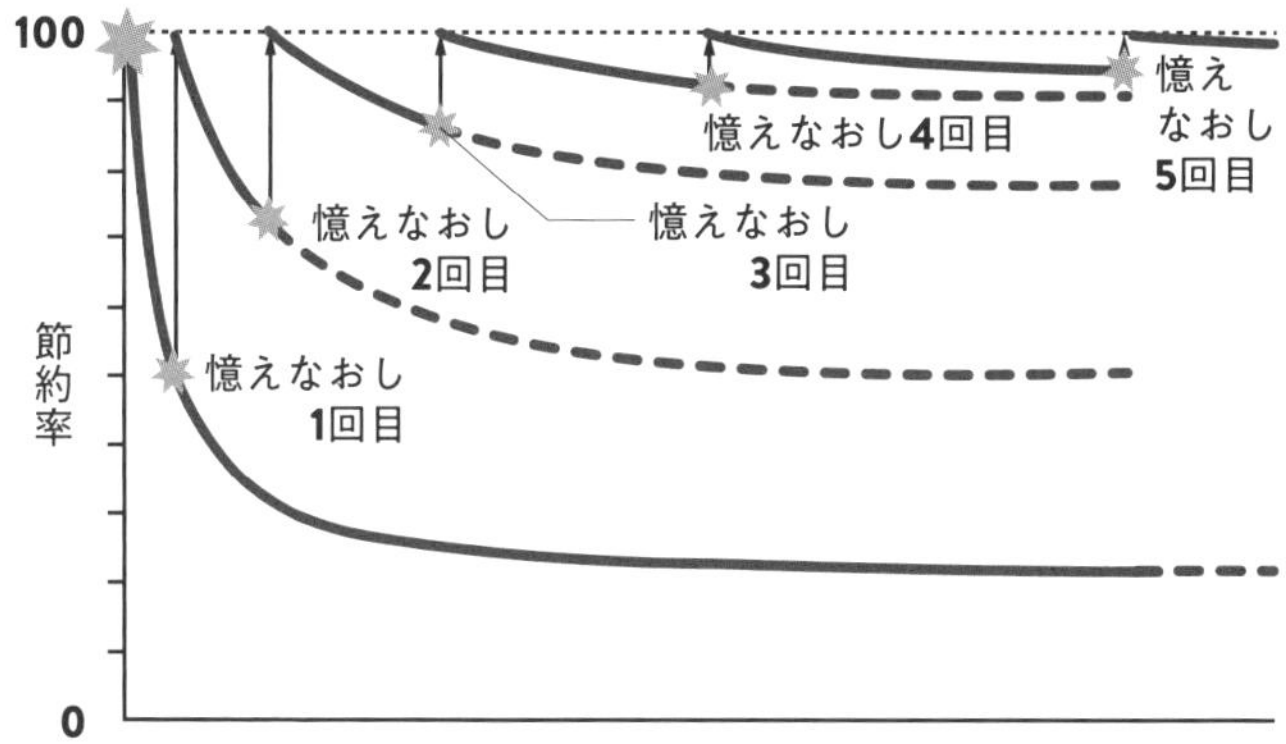

マコ　えーっと、節約率が50％くらいのタイミング、1回目から何時間か経《た》ったところですね、そこで一回完璧《かんぺき》になるまで憶《おぼ》えなおす、と、また忘れてきたところで憶《おぼ》えなおす……これを繰《く》り返《かえ》すんですね。

　あれ、なんか、1回目の憶《おぼ》えなおし以降の忘却《ぼうきゃく》曲線、傾《かたむ》きが緩《ゆる》やかになってません？　先生間違《まちが》えました？

犬塚　いえ、そうなるんですよ。繰《く》り返《かえ》し憶《おぼ》えなおしをすると、忘却《ぼうきゃく》曲線のカーブがなだらかになる、つまり、忘れるスピードが遅《おそ》くなっていくんです。

マコ　言われてみれば、英単語練習も何回かやったら忘れにくくなりますね。さっきの道のたとえで言うと、道を繰《く》り返《かえ》し踏《ふ》み

固《かた》める、みたいな感じですね。踏《ふ》み固《かた》めればそれだけ道がしっかりするから、「つながりが途切《とぎ》れた」ことになりにくいってことかな。

学校の先生が「何度も繰《く》り返《かえ》しましょう」って言ってたのはそういうことだったのかなあ？

犬塚　そうかもしれないですね。ですが、単に繰《く》り返《かえ》し練習するより、思い出す練習をする方がいい、ということも重要です。

マコ　つまり、普通《ふつう》に何度か練習するだけじゃなくて、思い出せるかどうか試《ため》してみるのが大事ってことですか？

犬塚　そうです。思い出す練習をするというのは、道がちゃんと通れるか確認《かくにん》することなんです。確認《かくにん》せずに練習すると、道がちゃんと直せなかったりするんですよね。つながりを作らないで単調な練習をしていると、なおさら道を固める効果が小さくなってしまいます。

マコ　本の内容を憶《おぼ》えたい、というときも同じかな？　あ、でも、ええと、「構造」を考えた方がいいのかな……？

犬塚　そうですね。何度も繰《く》り返《かえ》し読んだり、お気に入りのフレーズとかグッと胸に

刺《さ》さるような一文があったりしたときは、つながりが作られてそのままの形で長期貯蔵庫に送られるかもしれません。でも、基本的には、長い文章をそのままコピーするように暗記しようとするのではなくて、「つまり何が言いたい文章なのかな？」ということを考えて読んで、マクロ命題を憶《おぼ》えようとする方がよいですね。

マコ　そういえば、アヤは読んだ本の内容を結構細かいところまで憶《おぼ》えてて、すごいなあ、よく忘れないでいられるなあって感心してたんですけど、アヤはよく同じ本繰《く》り返《かえ》し読んで「聞いて！」とか言って内容を説明してくれるんですよ。何が楽しいのかなって思ってたんだけど、繰《く》り返《かえ》し読んで、思い出すことでマクロ命題だけじゃなくてミクロ命題も憶《おぼ》えるようになったのかもなあ。あと、アヤはすぐ感動するから、そういう印象がしっかりしたつながりを作ってるのかもしれない。

犬塚　マコさんも動物の本の内容ならかなり詳《くわ》しく憶《おぼ》えていますよね？

マコ　そりゃあもう！　動物に関することだったらすごくたくさんつながりますし、繰《く》り返《かえ》しも苦にならないんで！

犬塚　結局、忘れないことっていうのはその人にとって大事だったり意味があったりして、つながりが作れる情報なんですね。新しく勉強する内容だと、大事であっても

つながりが作りにくいから初めは頑張《がんば》らないと忘れてしまいます。上手に頑張《がんば》って忘れないようにしたいですね。

マコのノート

- つながりが作れないと長期貯蔵庫に送るのに失敗してしまうので、「忘れる」というより「憶《おぼ》えられない」。意味をよく考えてつながりを作ることが大切
- 長期貯蔵庫に送られても、つながりが見つけられないと思い出せなくなる。繰《く》り返《かえ》し思い出す練習をするとつながりを見つけられる！
- 文章をコピーするようには憶《おぼ》えられない。より一般的《いっぱんてき》な内容やその情報の要約（マクロ命題）は忘れにくいけど、細かい情報（ミクロ命題）は忘れる。構造を把握《はあく》してマクロ命題を忘れないようにしよう

II

Part Two

読解力を高めよう

第5章　読解力向上のためには「たくさん本を読む」しかないの？

そもそも読書は読解力を向上させるのか

ヨシキ　えっと、今回はボクの相談、というか疑問なんですけど。ボク、前も理系って言ったんですけど、数学はまあまあなんだけど、国語の成績があんまりよくないんですよ。ここまでの話聞いてたら、それってまずいのかなーっていう気はしてきたんだけど。学校の先生はよく「本を読むと読解力がつく」って言うんですけど、結局「たくさん本を読む」しかないんですか？　そもそも読むのが苦手だから、「たくさん読め」ってなるとキツイなーって思うんですけど……。

犬塚　なるほど。確かに、本をたくさん読むことは「読解力」につながりそうですよ

ね。「読書百遍《ひゃっぺん》義自《おの》ずから見《あらわ》る」って言葉知ってます？　「分からない本でも何度も読んでいるうちに分かってくる」ということなんですけど。普通《ふつう》、分からないと思ったら読むのをやめちゃいますよね。

ヨシキ　そうなんですよ！　よく分かんないなーって思って先生に聞いたときに「何度もよく読んでごらん」って言われたときの絶望感ったらないですよ！

犬塚　確かに、がっかりしちゃいそうですね……。

実は、色々な調査があるのですが、「読んだ本の量」と「読解テストの成績」はそれほどはっきり関連しているわけではないんですよね。「本を読むほど読解力が高くなる」と主張するのはちょっと乱暴、というか、「理論的に考えれば本を読むほど読解力が高くなるだろうけど、単にたくさん読めばいいというほど簡単なことではない」という感じではないかな。そもそもなんで本をたくさん読むと読解力アップにつながると思うのかな？

ヨシキ　うーん、例えば、本を読むとボキャブラリーが豊かになるって言いますよね。やっぱりボキャブラリーがある方が読解力ってあるんじゃないですか？

犬塚　確かに、ボキャブラリーが豊かな方が有利ですね。アヤさん（第2章）、マコさ

ん（第3章）とお話ししたのですが、そもそも意味が分からない言葉があることは読んで理解するのを大いに妨《さまた》げます。ですから、言葉の知識は重要です。ですが、ボキャブラリーは本だけからできるわけではないですよね。身近な大人の会話を聞くことで新しい言葉を学ぶこともありますし、学校で先生に教えられることだってあります。また、どんな本を読むかで身につけるボキャブラリーも違《ちが》ってきますから、必ずしも論理的な文章を読むのに役に立つ言葉の知識が増えるわけではないかもしれません。このように考えると、本を読むこと単独の効果としては見えにくくなります。ボキャブラリーが豊かになるのはいいことだけど、読書だけでボキャブラリーができるわけではない。「そんなに簡単な関係ではない」というのは、このような意味です。

ヨシキ じゃあ、本を読むのに意味はないってことなんですか？

犬塚 いや……そうとも言えないです。

ヨシキ どっちですかー！

犬塚 具体的なデータを挙げて説明しましょう。読書と読解テストの成績について、有名なのはＯＥＣＤ（経済協力開発機構）の研究結果です。ＯＥＣＤは3年に一度、「生徒の学習到《とう》達《たつ》度《ど》調査」という調査を世界各国で実施《じっし》していて、その結果をもとに色々な

調査研究をしています。この調査は通称《つうしょう》「ＰＩＳＡ（ピザ）」と呼ばれていて、日本でも新聞報道などされますから、聞いたことがある人もいると思います。

さて、このＯＥＣＤの２０１１年の報告書では、「読書」と「読解力」の関連があることが示されています。あれ、話が違《ちが》う、と思いましたか？　重要なのは、ＯＥＣＤの調査では、「読書」が単なる「読んだ本の量」ではなく、「楽しみのためにどのくらい本を読むか」「読書に対する態度」「読む本の種類」を総合的に評価して「読書への熱中度」と捉《とら》えていることです。この「読書への熱中度」が高い人ほど、ＰＩＳＡの読解力テストの成績がよいことが分かっているのですね。「単にたくさん読めばいいというほど簡単なことではない」というのは、読書の量だけでなく、「どんな本をどんなふうに読むか」という読書の質も関連しているからなんです。

ヨシキ　「楽しみのため」というところが重要だとすると、読みたくもない本を無理やり「読解力向上のためだから！」と読んでも意味がないってことになりますよね。あーなんか分かる……。

それにしても、今の段階で「楽しみのため」に本が読めないとなると……もうおしまいってことかな。それは残念すぎる……。

犬塚　そうですね、こういう調査から、「じゃあ、子どもたちに『読むことの楽しさ』を伝えるにはどうしたらいいんだろう」ということを、学校の先生たちは一生懸命《いっしょうけんめい》考えるわけで、その方向性は正しいんですよね。だけど、それが「朝の読書タイム」になると……。

ヨシキ　いやあれは楽しくないですね……。

犬塚　読書は確かに大切だけど、読書が楽しいという気持ちや、読書が好きだという態度を育てるのは、すごく時間のかかることでもあります。

ヨシキ　そこで早期教育っていうのの出番ですか⁉　幼稚園《ようちえん》でもバリバリ読む練習！みたいな。

犬塚　たいして興味がないのに幼児に字を読む練習を無理やりさせたりするのも、あまり読解力にプラスではないです。「本を読む楽しみにまだ目覚めていない子ども」に無理やり読むことを強《し》いるのは苦行になってしまう可能性がありますから、こちらの意図とは異なって「本嫌《ぎら》い」にしてしまうかもしれません。幼少期から、「本が楽しい」という気持ちを大切にすること、好きな本を好きな人と一緒《いっしょ》に楽しむ経験をすることなどが、読む楽しさを伝えることになるのだろうと思われます。だから読み聞

かせとか、大人と本を楽しむ経験が……。

ヨシキ 結局「楽しい」気持ちが大事なんですね。そうなると、今、この年齢《ねんれい》で、読書嫌《ぎら》いなオレたちはどうしたらいいですか。手《て》遅《おく》れ感ありますかね。

犬塚 「本を読むのが楽しいっていう感覚は（少なくとも現時点では）ピンとこないけど、読解力は必要だから鍛《きた》えたい」という場合どうしたらいいか、は大事な問題ですよね。しつこいようですが、「単に無理やり読むこと」が読解力を向上させるかというと、それはちょっとビミョウです。

でも、だからといってお手上げではありません。読解力が向上する方法、はあるんです。「本をたくさん読む」のではないアプローチで読解力を鍛《きた》える、そうすると、読んで分かるようになる、分かるようになるともっと知りたくなる、本を読みたい、というルートで読解力を高めることを考えましょう（図5－1）。

図5-1 読解力を鍛《きた》える2つのアプローチ

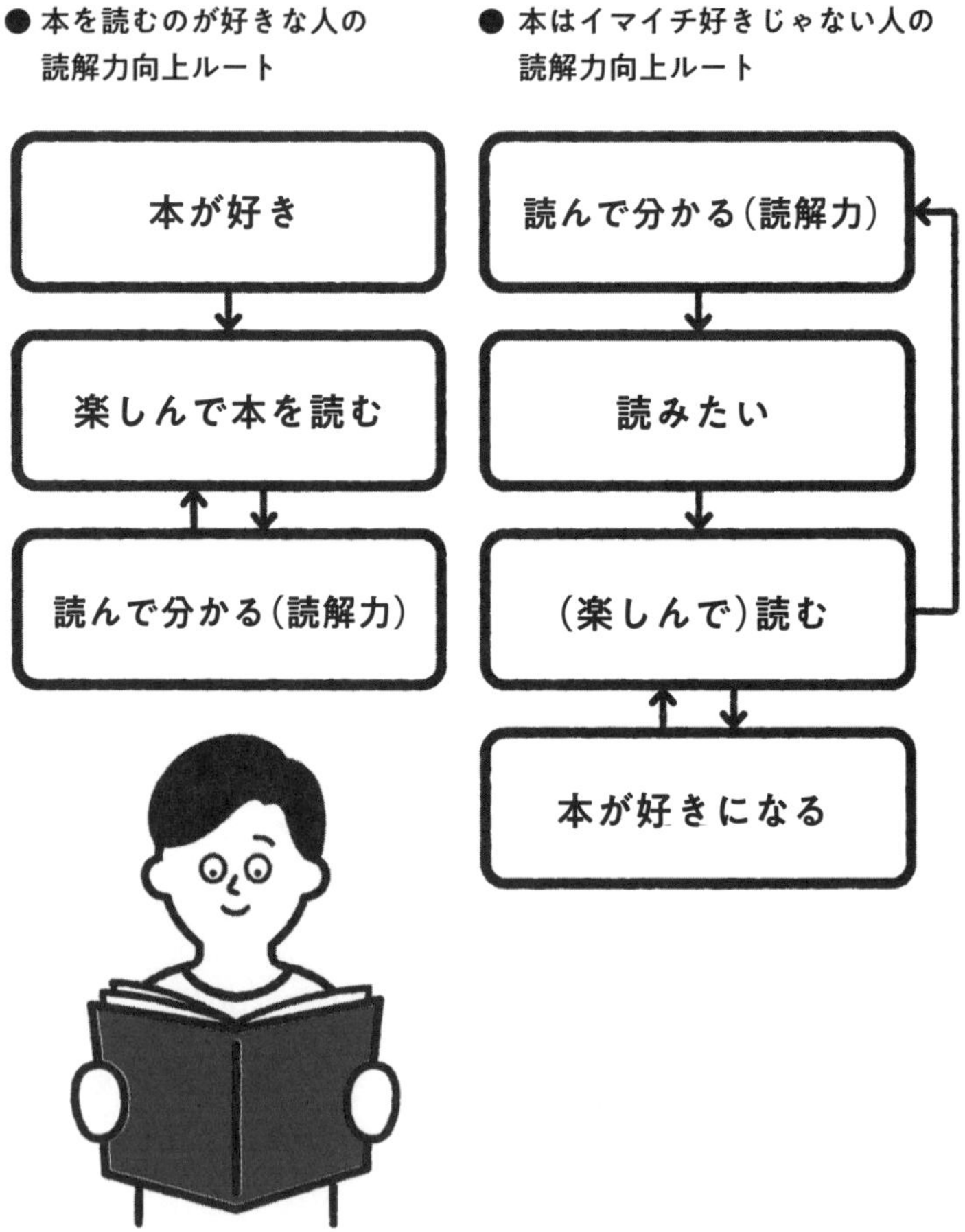

読んで分かるための「頭の使い方」──読むための方略

ヨシキ　ちょっと鉄棒を思い出しました。小学校3年生くらいまで鉄棒嫌《きら》いだったんですけど、先生が一緒《いっしょ》に練習してくれて、しかも「いいから繰《く》り返《かえ》し練習しろ！」じゃなくて、台持ってきたりタオル使ったりして、逆上がりできるようになったんですよね。そしたら鉄棒楽しくて。鉄棒が好きだからできたわけじゃなくて、できたら好きになったんです。順番が逆な感じですけど、そういうことですよね？

犬塚　まさに！　まさにその鉄棒です！　ヨシキさん！「いいから練習しろ」はあんまり効き目がなくって、やり方が大事、というところも同じです。

　読んで分かるためには、ただなんとなーく読んでいてもダメなんです。これは第2章でもお話ししたことですが、読解＝読んで分かる、というためには言葉と言葉のつながり（命題）を自分で作っていかなくてはならないんです。簡単な内容やよく知っている内容ならあんまり頭を使わないでも「なんとなく」つながってくれますけど、「自分の知識を増やす」とか「知らないことを学ぶ」ために読む場合には、自分にとって

難しい内容を読むわけですから、しっかり頭を使って頑張《がんば》らないとつながってくれないんですね。

ですから、重要なのは、「読み方」を憶《おぼ》えることです。心理学では、読んで理解するために、意図的にやることや考えることを「方略」と呼んでいます。これは、英語のStrategyという言葉の翻訳《ほんやく》です。ストラテジーというのは「作戦」とか「戦略」という意味がありますので、「読むための戦略」を知ることが大切だということになります。読んで分かるような戦略を使いながら読むことで、内容がよりよく分かる、分かれば面白《おもしろ》くなる、というわけです。

ヨシキ　楽しめなくても、読んで分かることで楽しくなる、を目指すということですね！

犬塚　初めに「読書百遍《ひゃっぺん》義自《おの》ずから見《あらわ》る」と言いましたけれど、あれも、「ただぼーっと百回眺《なが》めたらいいよ」というわけではなくて、一生懸命《いっしょうけんめい》読めば分かるよ、ということだろうと思います。一生懸命《いっしょうけんめい》読むというのは、色々な方略を使って読んでみるということなんじゃないかな。

ヨシキ　なるほどー……でもそんなにうまくいきますか？

犬塚　実は、読解方略を教えることの効果についてはたくさんの研究がされています。その多くで、「こういう方略を指導したら、子どもの読解力が向上しました」ということが報告されているんです。となると、いい方略を使うことは読解力向上になる、と結論付けてよさそうですよね。

こうした方略の効果は、年齢《ねんれい》が高くなるとより大きくなるとも考えられています。読むことの学習を始めたばかりの頃《ころ》、例えば小学校の低学年だと、「スラスラ読めるかどうか」が読解力とほぼ同じ意味になります。スラスラ読めるというのは、文字から音への変換《へんかん》がスムーズにできて、そこにパワーを使わなくてよい状態である、ということです。ここでパワーを使わないで済むと、意味の理解にパワーが使えるんですね。スラスラ読めるということは、その言葉を聞いたときとちょうど同じように、その言葉の意味が頭の中に自動的に浮《う》かぶ、という状態になっているということなんです。読むことの学習の初期では、ここに大きな個人差がありますから、まずスラスラ読めることが読んで分かる力として大事になるのです。

ですが、成長すると多くの子どもが「スラスラ読む力」という点ではあまり差がなくなってきます。一方で、読む対象はより長くて複雑な文章になってきます。そうな

ると、自分の読解状況《じょうきょう》を適切に評価したり、よい方略を使ったりすることの影響力《えいきょうりょく》が増してくるんですね。こうした方略の効果は、「もともとの記憶力《きおくりょく》」のような能力の高低によらず発揮されると言われています。

ヨシキ 分かります！　ボクも小学校高学年くらいから、国語が苦手だなあって思うようになりました。きっと「スラスラ読む」より先に行けなかったんですね。かわいそうなオレ……。

犬塚 大丈夫《だいじょうぶ》、まだ遅《おそ》くありません！

例えば、古い研究ですが、パリンサーとブラウンという二人の研究者は、「読むことがほかの生徒よりもかなり苦手な中学生」を集めて方略の指導をしました（Palincsar & Brown, 1984）。20回の指導後に、読解力テストを実施《じっし》すると、その子どもたちの成績は、なんとほかの生徒と同じレベルにまで向上していました。対象となった生徒たちは、読解テストでだいたい2学年分くらい下の成績しか取れなかったのですが、指導後はほぼ学年レベルの成績になったのです。しかもその効果は8週間後のフォローアップテストのときも持続していたんです。8週間でほかの子に追いつく、というのはなかなかすごいですよね。

表 5-1　パリンサーとブラウンの研究で指導された方略

要約	どんな内容だったかまとめる
質問	先生がしそうな質問を考える
明確化	どういう意味かはっきりした説明をする
予測	文章にどんなことが書かれていそうか、読む前に考える

ヨシキ　読解力ってもっと長い時間がかかるんだと思ってました。2か月でそんなに変わるものですか？　何その方略。すごい。どうやって練習したんですか？

犬塚　パリンサーとブラウンの研究では、「要約」「質問」「明確化」「予測」の4つの方略を指導していました（表5－1）。これらの方略をただ「やってごらん」と言われてもすぐにできる気がしませんね。パリンサーとブラウンの研究では、先生とほかの生徒と一緒《いっしょ》に、「先生役」を交代でやりながら、その文章の解説をしたり、ほかの生徒に質問を投げかけたりする活動を取り入れて、方略を使う練習をしていきました。活動の中心になったのは、質問です。生徒たちは、先生やほかの生徒に要点や明確化、予測に

関する質問をしていきます。この第5章のここまでの内容で考えてみましょう。どんな質問ができそうですか？

ヨシキ　えっ？　ううーん。「読書は役に立ちますか？」とか。どうですか？

犬塚　そう、そこがポイントでしたね。でも「役に立つ」って色々な意味があるから、もう少し詳《くわ》しく言うとどうなるかな。

ヨシキ　えっと……「読書をすることは読解力を高めますか？」ならどうですか？

犬塚　もう一声！　それだと、「ハイ」か「イイエ」の答えしかないけど、それでいいかな。もし相手に説明してほしい場合は「どのような」とか「どんな」という言葉を使うといいよ。

ヨシキ　なるほど。じゃあ「どのような読書が読解力を高めるのに役に立ちますか？」は？

犬塚　素晴《すば》らしいです。ここまでの文章の要点がまさにその質問に表現されていますね！　質問したら答えも分かるかな？

ヨシキ　楽しんで読書することが読解力を高めます、でいいのかな。

犬塚　そうそう、そういう感じです。ヨシキさんは「読むのが苦手」と言っていまし

たけど、上手に要点を捉《とら》えて質問を作れましたね。パリンサーとブラウンの研究に出てくる生徒たちは、初めはもっと苦労していたようです。先生がアドバイスしたり、「よい質問」のお手本を見せることで、だんだんとよい質問やよい解説ができるようになっていきました。そしてそれが、読むときの工夫《くふう》、「読解方略」を練習する活動になっていたんですね。

パリンサーとブラウンの研究のように、「質問作りと解説」を実際に相手がいる場面でやってみることは、読むための方略の効果的な学習方法です。彼《かれ》らの研究に続く多くの研究でも、この枠組《わくぐ》みが読むための方略を身につけるのに効果的であるということが繰《く》り返《かえ》し示されています。

ヨシキ なるほど。分かってきました。そうしたらさっき出てきた、質問、予測、要約、明確化の4つを使って読む練習をすればカンペキってことですか？

犬塚 実は効果的な方略はほかにもたくさんあるんです。文章を読む前・読んでいる途中《とちゅう》・読み終わった後にどんなことを考えているかを調査した研究からは、読み手が実に様々な工夫《くふう》をしながら読んでいることが分かっています。みんな色々な方略を使って読んでいるんですね。

ここでは、私自身の研究と、アメリカの研究機関の報告（National Reading Panel）をもとに、表5－2に挙げる6種類の方略を紹介《しょうかい》したいと思います。アメリカの研究機関の報告では、読解のための方略に関する研究をたくさん集めて、総合的に効果が確認《かくにん》されるものを7つ挙げています。また、私自身の研究では、実際に日本の中学生から大学生を対象とした調査を実施《じっし》して、どんな方略が使われているかを整理しました。ですから、表5－2に挙げる方略は、多くの研究で「実際に多くの人が採用している読み方で、内容がよく分かる効果がある」と示されている方略の代表格だと言えます。

ヨシキ そういえば、国語の授業時間とかテストとかで「意味段落を考えましょう」とか「〝これ〟は何を指してますか？」とかやりますけど、あれも方略ってことですか？ えっと、意味段落をっていうのは〝構造注目〟で、〝これは何を指すか〟っていうのは……明確化？

犬塚 そういうことです！ 国語の授業なんかで「第2段落の要約を300字で書きなさい」というような課題がありますよね。これも、読むための方略として「要点把《は》握《あく》」を練習する重要な機会だと言えますね。

ヨシキ 国語の先生は実は方略を教えてくれてたってことなんですね。なんか全然そん

表 5-2 読解力を向上させる６つの方略

方略の名前	具体的な活動
基本的な読み方 コントロール	・あれ？と思ったらゆっくり読む ・分からないと思ったら何回か読んでみる
明確化	・「コレ」「ソレ」などが何を指しているか はっきりさせる ・あいまいな表現のものをつまりどういう ことか言いなおす ・はっきり書かれていないことを足して 言いなおす ・自分の言葉で言いなおす
要点把握《はあく》	・大事そうなところを見つける ・キーワードを見つけて目立つようにする ・だいたいどういう流れなのか図にする ・箇条書きにする
理解チェック	・分からないところはどこか考える ・自分がちゃんと分かっているか確認する ・先生ならどんな質問をするか考える
構造注目	・文章の段落構造に注意する ・接続詞に注目して話の流れを捉える ・いくつかのまとまりを作って整理する
知識の活用	・関連することでなにか知っているか思い出す ・知っていることと同じところ、 違うところを考える ・知っている内容と結び付ける

な実感なかったなあ。まあ、さっきも言ったみたいに確かに、方略の例で出てるような課題はときどき出てきましたけど……読むための方略っていうより、授業の課題っていう感じで。本を読むとき自分が使える作戦とか工夫《くふう》の練習をしているって考えたことなかったです。

犬塚　以前中学生に調査をしたことがありますが、ヨシキさんのように思っている人は多いですね。「あれは授業でやること。自分が本を読むときにやることとは考えていなかった」という感じです。一方、国語の先生としては「授業でこんなに教えてるんだから、きっとみんな方略として身につけているはず」という気持ちもあるようです。先生としては、方略を教えているつもりでも、生徒たちが自分自身で使っていく〝作戦〟だとはなかなかハッキリ言わないために、授業中の課題だから授業が終わったら関係ない、と考えてしまうのかもしれないですね。まずは先生が〝あからさまに〟教えてくれる機会が増えることが必要だといえるかもしれません。

　学校での方略の練習という点についてもう一つ言うと、国語以外の授業の時間に方略を使って読むという機会があまりないということも本当は問題なんです。方略をきちんと身につけるためには、「本当に意味がある場面」での練習が大事だからです。「国

語」は、読むこと自体が目的になっている場面なので、読み方を教えてもらったり、基本的な練習をする機会としてとても重要です。ですが、読むことは、ほかの教科や自分自身の趣味《しゅみ》など、「理解して何かができるようになる」ことを目的にしている場面で、方略を使って読むことが重要です。

ヨシキ 教科書じゃなくてもいいってことですか？

犬塚 以前、「読むのが嫌《きら》い」という生徒さんに読み方を教えたことがあるのですが、その生徒さんが初めに「これなら読むかも」と言ったのは野球の練習方法についての解説書でした。野球部だったんですよ。その本を読んで要約する練習をしたりしましたね。料理のレシピとか、自分が好きなものを方略を使いながら読むことは、方略の練習によいと思いますよ。

ヨシキ それなら先生がいなくても自分で読んでいけるかも！

犬塚 そうですね、まず自分で読む気になる本を使って方略を使いながら読む練習をしてみるといいです。

ヨシキ ところで犬塚先生、これ、どの方略から始める、みたいな練習コースってあるんですか？　表5－2を見てると、なんか後のやつの方が難しそう。

犬塚　おっ、いいところに気づいてくれました！　初めの方に出てるのは、表面的なつまずきに対応する方略（基本的な読み方のコントロール）だから、読むのが苦手という人でも使っているかもしれませんね。これも立派な方略、「読むための工夫《くふう》」です。

ヨシキ　それはボクでもやってますね！　おおー、使ってたんだな、方略！

犬塚　逆にちょっと難しいのは最後の二つですね。この2種類の方略は、特に「はっきり文章で書かれていないこと」が関わっています。段落や接続詞は文章全体がどんなふうなまとまりになっているか、どんな筋道になっているかに関わっているわけですが、それははっきり書いてあるわけではなくて、「ここで改行されているということはここから話が変わるんだな」「〝しかし〟ということはこの段落は前の内容と逆の内容だな」と頭の中に地図を作っていく感じです。この方略を使わないと、文章の情報がどんなふうにまとまっているのか把握《はあく》しにくいわけです。情報のまとまりが把握《はあく》できないとどうなるんでしたっけ？

ヨシキ　情報のまとまり……？　あ、第3章の記憶《きおく》の話に出てきましたね。まとまりとかつながりで知識ができてるっていう……。まとまりが把握《はあく》できるとうまく記憶《きおく》できるんだから、まとまりが分からないと頭に入らない、ということですか？

犬塚　素晴《すば》らしい、百点の答えです！　そう、頭に入れるためにはまとまりやつながりが大事。だから、文章を頭に入れるには、どんなまとまりになっているかを把握《はあく》するのが役立つというわけなんです。それには段落や接続詞が使えるんですが、その意味を読み取ってうまくまとまりを捉《とら》えるにはちょっと頑張《がんば》らないとできないですね。
　同じように頑張《がんば》らないといけないのが「知識の活用」の方略です。これもなんで大事か分かるかな？

ヨシキ　うーん。なんでだろう……。

犬塚　これも「頭に入れるにはつながりが大事」の観点から説明できます。すでに頭にある知識とつなげる、ということなんです。

ヨシキ　そうか、今までの経験と読んだ内容がつながれば、経験を思い出せば本の内容も思い出せる、ということですね！　そういえば、ボクはテニスが好きなんですけど、物理の本でテニスのサーブが例に出てたんですよね、その部分はすごくよく分かった感じがしました。

犬塚　そういうことです！

方略マスターへの道――3つの壁《かべ》を破る

犬塚　次に、ちょっと厳しい話をします……。実は、読解に限らず、方略をうまく使える「方略マスター」になるにはいくつかの壁《かべ》を破らなくてはならないんです。第一の壁《かべ》は「方略を知らない」壁《かべ》です。これは今クリアできたかな？

ヨシキ　そうですね。色々な方略があるんだなということは分かりました。でもなー、方略使うのちょっと大変そうだからなあ……。

犬塚　そうですね、たぶんヨシキさんは私に「じゃあこの方略を使って読んでみよう！」と言われたら使えそうですよね。でも、読むときに自分から方略を使ってみようとするかというと……。

ヨシキ　うーん……自信がないなあ。

犬塚　それが第二の壁《かべ》です。「方略を使ってごらん」と言われれば使えるけど、自分からは使わない、使えないという段階です。この壁《かべ》を破るには、ヨシキさんが「この方略を使うとよく分かるぞ」という方略のメリットを感じたり、「この方略を使うの

はそこまで大変じゃないな」とコストを低く感じたり、「こういう読み方するのは性に合うな」と方略を好きになることが大切だと言われています。

でも実際には、これまでやってなかったことをやるのは、（本当はそこまで大変なことじゃなくても）すごく面倒《めんどう》で大変なことのように感じますし、初めはうまく方略が使えないことも多いから「たいして役に立たない」と感じてしまうこともあるんです。学校や塾《じゅく》の先生が「せっかくいいやり方を教えたのに、子どもたちは全然取り入れてくれない」とか「考え方を教えたのにすぐ忘れてしまう」と嘆《なげ》いていることがありますが、おそらくこの第二の壁《かべ》が強敵なんじゃないかな、と思いま

図5-2　方略使用の3つの壁《かべ》

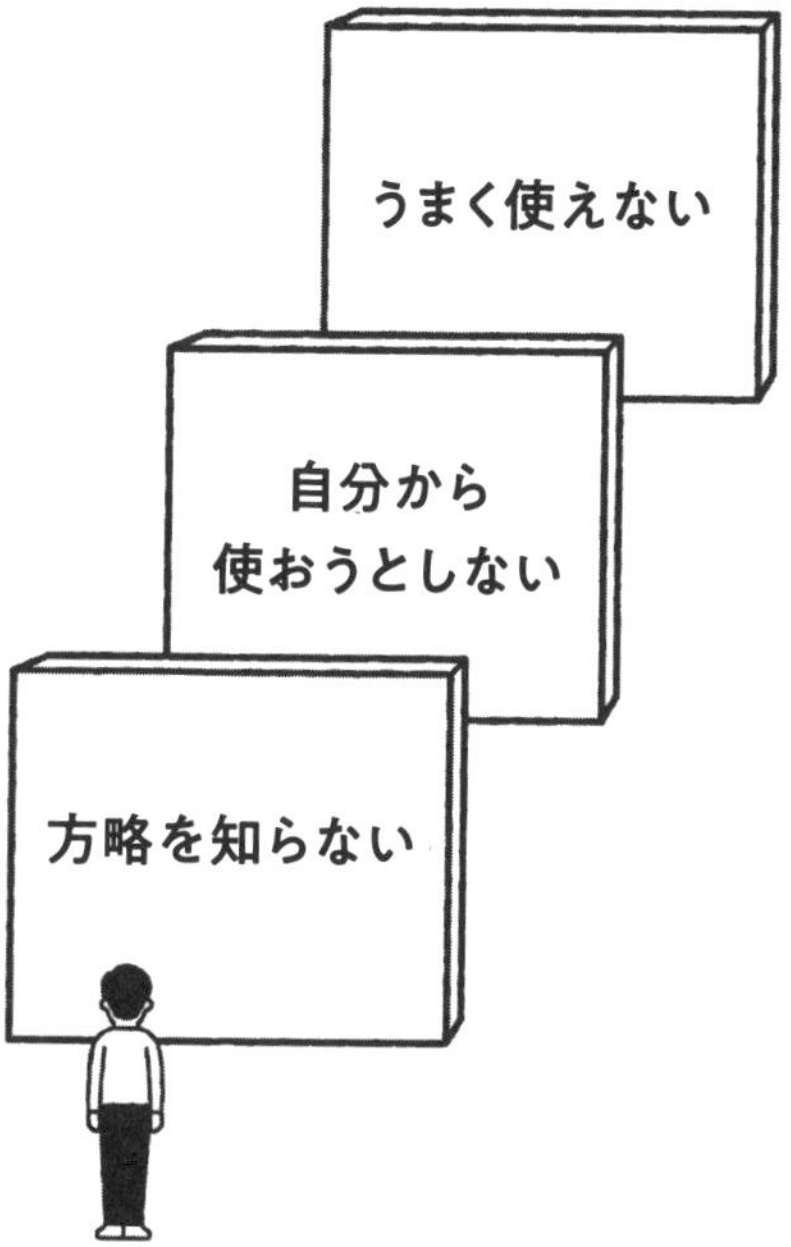

す。新しい方略を自分から使ってみるようになるまで、「役に立つ」「そんなに大変じゃない」、そして「結構楽しいよぉー！」と色々な形で伝えることが必要なんです。

ヨシキ そういう意味でも先生とか仲間は大事ですね。やっぱり褒《ほ》めてくれる人とか、一緒《いっしょ》に頑張《がんば》ってくれる人がいると「面倒《めんどう》だけどやるか！」ってヤル気が出そうです。

犬塚 そうですね。読むことは自分ひとりでやること、というイメージがあるかもしれませんが、教えてくれる人や仲間がいることでもっと勉強しやすくなりますよね。

そして、先生たちには第三の「うまく使えない」の壁《かべ》を破るためにも活躍《かつやく》してもらわないといけません。「うまく使えない」の壁《かべ》を破るには、どんなときにどういう方略を使うといいか、よりうまくその方略を使うにはどうすればいいか、という知識の蓄積《ちくせき》が必要になります。ですから、方略を使って読んだことについて、「うまくできたよ」とか「もっとこうしたらいいよ」と教えてくれる人がいるとすごく捗《はかど》るんです。

ヨシキ なるほど。いい先生がいるといいなー。でもまずは自主トレかな。やっぱり。

犬塚 自主トレも大事です。小学校や中学校では「自主学習」が宿題になることもありますよね。「自主学習」として方略の練習をしてみると、学校の宿題もできて一石二鳥かもしれません！　教科書の文章を要約して、先生に「大事なところは入ってま

すか？　削《けず》った方がよいところはありますか？」と尋《たず》ねてみるのもお勧《すす》めです。最近は教科書にも「読み方のヒント」という形で方略が紹介《しょうかい》されていたりして、先生たちにも「読み方をもっとはっきり教える」ということが意識されつつあるように思います。ヨシキさんの「方略マスター」への道を後《あと》押《お》ししてくれる先生たちが増えてくることを期待しています。

ヨシキのノート

- ○楽しく本を読む経験は読解力を高める
- ○受け身ではダメだ！　戦略的に読もう（方略を使おう）
- ○方略は学校でも（実は）習ってる。好きなトピックの本で方略を使う練習をしてみよう
- ○先生たちは「こういう方略を使ってみよう」「こうやって読むといいよ」とハッキリ教えてください！

第6章　マンガはやっぱりダメですか？

マンガ派vs.マンガ否定派

アヤ　やっぱりダメだって。

ヨシキ　なんでだよ。同じことじゃん。

マコ　私もヨシキにさんせーい。

犬塚　なんか揉《も》めてますね？　どうしたんですか？

アヤ　みんなで歴史上の事件について調べてポスターにまとめるっていうプロジェクトがあって、私たちの班は「応仁《おうにん》の乱」について調べなくちゃいけないんですけど、ヨシキもマコもマンガしか読まないんです。それじゃちゃんと調べたことにならない

と思ったんですけど、二人とも納得《なっとく》してくれなくて。

マコ　調べてるじゃん！　本なら良くてマンガじゃダメなんてマンガ差別だと思う！

犬塚　なるほど。アヤさんがマンガじゃダメだと思うのはなぜですか？

アヤ　やっぱりマンガは信用できないっていうか、遊び用っていう感じがします。ちゃんとした本じゃないと思うんです。本をちゃんと読まないと勉強にならないです。

ヨシキ　それはおかしいよ。マンガだってちゃんとした内容のものもあるし、本だってダメな内容のやつもあるじゃないか。

犬塚　そうですね。私はマンガ大好きなので、ヨシキさんやマコさんの肩《かた》を持ちたくなりますねえ。

マコ　ほら！　やっぱり！　やった！

犬塚　でも、本を読まないとっていうアヤさんの意見も間違《まちが》ってないです。

ヨシキ　ええー、なんでそうなるんですかー。マンガでいいよー、マンガでー。自分は動画派なんで、マンガ読むだけでも結構頑張《がんば》ってるって分かってほしいなあ。

犬塚　ヨシキさん……読む練習しましょうって話しましたよね……？　方略は？

ヨシキ　？　調べ学習で読むのと、文章を読む練習をするのは別でしょう？　調べ学習

は調べ学習でやりやすいようにやりたいですよ！

犬塚　なるほど……こういう場面が読む方略を練習するよい機会になるのですが、ひとまずそれは置いておきましょう。マコさんとヨシキさんはマンガ派、アヤさんはどちらかというとマンガ否定派ですね。では、なんでマンガがいいんでしょう？　逆に、マンガだとダメな理由は何でしょう？　じっくり考えてみましょう。

「物語化」の功罪

犬塚　さて、まず、マンガ派の意見を聞いてみましょう。どうして「本じゃなくてマンガがいい」と思うんでしょうか。

ヨシキ　マンガの方が分かりやすいよ！　「ああ、この人がこういうふうに考えて、こうしたんだなあ」って分かって共感できるから。「自分だったらどうするかなあ」とか自分に引き付けて考えられるっていう感じがします。
前に犬塚先生が「全体像を把《は》握《あく》する」っていう話してくれましたけど、それができるって感じがしますね。本だと、特にアヤが持ってきたみたいな本だと、どの人がど

うふうに動いたのか、ごっちゃになっちゃって、ひたすら事実が羅列《られつ》されてる感じがします。全体としてこんな感じっていうのがちっとも浮《う》かんでこないよ。

犬塚 ヨシキさんが言うように、マンガでは歴史的な出来事が「物語」になっていることが多いですね。「物語にする」ことをここでは「物語化」と呼ぶことにしましょう。この「物語化」の効果はマンガだけでなく歴史小説にもあると言えそうです。司馬遼《りょう》太郎《たろう》の作品が有名ですが、歴史小説では、歴史上の人物を主人公にして、その人物中心に、事件や出来事、説明したい内容を題材にした物語にすることが多いですね。マンガだけにある効果というより、「物語化」することの効果がマンガにもみられる、というふうに理解できます。

さてここで、第1章でお話しした「物語文法」を思い出してみましょう。憶《おぼ》えていますか？

アヤ 憶《おぼ》えてます！「物語」には共通した枠《わく》組《ぐ》みがあるっていう、あれですよね？

犬塚 そうです。「物語」には普《ふ》通《つう》、場所や人物などの設定があって、解決したい問題がある。そして、登場人物がいくつかの課題を乗《の》り越《こ》えて、その問題を解決する、という枠《わく》組《ぐ》みで物語は整理することができたのでしたね。この枠《わく》組《ぐ》みはみんなに共有

されているので、この枠組《わくぐ》みを使って理解できる物語の方が、枠組《わくぐ》みが色々ある説明文より理解しやすいことが多い、ということもお話ししました。

ヨシキ そうか、マンガが分かりやすいと思う理由は、「物語」になってるからか。マンガが「物語化」することで、物語文法を使って理解できるようになるんですね！　そういえば、教科書ってほんとに意味が分かりにくいなあって思ってたんだけど、それは教科書が全然物語じゃないからかもしれないですね。人物はたくさん出てくるし、出来事は書いてあるけど、主人公が壁《かべ》を乗《の》り越《こ》えてなんか解決する、みたいな感じでは書いてない。そう書いてくれればいいのに！

犬塚 物語化されると、私たちが自然に持っている枠組《わくぐ》みにはまりやすいから、分かりやすくなるんですね。ただ、物語化には問題もあります。

マコ 分かりやすくなるなら大抵《たいてい》の問題はどうでもいいような気がしますけど……。

犬塚 読むことの目的に関わりますね。歴史上のストーリーを気軽に楽しみたい、という目的で読むのであれば、物語化されている方がよさそうです。でも今、皆《みな》さんが取り組んでいるのは学校のプロジェクト学習で、歴史的な出来事を調べて学ぶということが目的ですよね。その場合、マンガはアヤさんが言うようにふさわしくないかも

しれません。

例として、主人公の存在について考えてみましょう。さっきヨシキさんが言ったように、歴史上の事件や出来事には多くの人が関わってきますね。ですが、物語化するときには、みんなを同じ重みで取り上げるのではなく、特定の人物を主人公として重点的に取り上げることが多いと思います。そうするとどんな問題が生じるでしょうか？

アヤ　あ、視点が偏《かたよ》る……？

マコ　なになに？　もうちょっと分かりやすく言って！

アヤ　ええと、ひいきしちゃうってこと。例えば、今回調べるのは「応仁《おうにん》の乱」じゃん。ヨシキが持ってきたマンガだと、日野富子がすごい悪い人っていう扱《あつか》いになってて、まるで日野富子のせいで「応仁《おうにん》の乱」が起こったみたいに書いてあったけど、こっちの本にはそんなこと書いてなかったんだよね。もうちょっと理由がたくさんあっていうか、はっきりしない理由で戦いが起こってたみたいで。これって、なんていうか、悪者を決めて、「この人のせいです！」って言った方がお話として分かりやすいし、面白《おもしろ》くなるから、わざとそういう偏《かたよ》った書き方したってことかなと思って。

ヨシキ　あー、確かに、読んでて「日野富子嫌《いや》なヤツー」「日野富子がいなければ将軍決めでこんなに揉《も》めなかったかもしれないのに……」って思ってたかも。でもそれが面白《おもしろ》かったっていうか……。

犬塚　はい、これもマンガだけの罪、というより、物語化によってどうしても生じてしまう効果だと思います。アヤさんの言うような「視点の偏《かたよ》り」、つまりひいき、ですし、それがヨシキさんが感じた「面白《おもしろ》さ」につながる演出でもあるでしょう。

　今、話題になっている日野富子の例だと、元の歴史書にも日野富子が悪者扱《あつか》いされているものもあったので、それが広まっていたことも原因かもしれないですね。そもそも、何かショッキングな出来事があったときに、分かりやすい「物語」を求めたり、悪者や原因をはっきりさせたいと思ったりするのは人間のクセのようなものですから、そういう人間のクセが反映されてしまったと言えるかもしれません。

アヤ　実は、私がマンガ否定してたのって、なんとなく「マンガは遊びのものだからダメ！」みたいな感じだったんです。でも、「物語にする」ことの効果っていう意味では、本でもダメなことがあるってことですよね。問題は、マンガか本か、じゃなかったんだな……二人ともごめん。

マコ　いや、私もあんまり深く考えてなかった。分かりやすければいいかなってくらいだったから。誰《だれ》かがはっきり悪者だって言えるほど、歴史って単純じゃないかもね。そう考えると、「物語化」の効果を考えて読まないとダメなんだな。

ヨシキ　マコが深いこと言ってる……。

犬塚　さて、和解の雰囲気《ふんいき》ですが、初めにも言ったように私自身もどちらかというとマンガ派なので、物語化が役立つという話もしてよいでしょうか。

ヨシキ　ダメなだけじゃないんですね！　ぜひお願いします！

犬塚　はい。まず、物語化することでつながりが作りやすくなります。例えば、歴史の題材になっているような出来事は遠い昔に起こったことで、今の自分や今の時代の問題となかなかリンクさせにくいですよね。「憶《おぼ》えるにはつなげないとダメ」という話をマコさんとしていたのですが（第3章）、つなげる、という観点から考えると、遠い時代のことはつなげにくい、したがって、頭に入りにくい、ということになります。そうなると、ひいきのない、物語化されていない、〝ちゃんとした〟本を読んでもなかなか頭に入らない、ということが起こりやすいと言えます。

マコ　そうでした。意味が分からないことは憶《おぼ》えられないって。

犬塚 そこでマンガの出番です。ヨシキさんはさっき、マンガだと「共感する」「どの人がどう動いたのか分かる」って言ってましたね。

ヨシキ はい。自分が登場人物になった感じで、相手からこんなふうに言われたら腹立つよな、とか想像しながら読んでました。

犬塚 これは「物語にする」ことの強みだと言えるでしょう。不正確なところやひいきになるようなところができても、誰《だれ》かを主人公にして、その人を中心に物語を展開することで、読んでいる人は、自分と出来事をつなげることができるようになります。「日野富子、嫌《いや》なヤツ」というのもある種のつながりになるわけで、つながりがないより分かる・憶《おぼ》えられる状態になるんですね。

ヨシキ 確かに、「いくら自分の子どもがかわいいからって態度変えすぎだろー」とか「敵にも味方にも金貸して儲《もう》けるなんて汚《きたな》くないか?」みたいな感じで「日野富子嫌《いや》なヤツ・エピソード」結構憶《おぼ》えてます。これは「物語化」の効果ってことなんですね。

犬塚 そうですね。ヨシキさんが「教科書がバラバラで分かりにくい」と言っていましたが、出来事の記述だけだと、ほかの情報とどのようにつなげればよいのか分からないこともあると思います。そんなときに、物語を通してつながりを作ることは理解

を助けてくれるでしょう。

また、共感だけでなく様々な感情が物語を通して喚起《かんき》されますね。なんでそんなことするんだ！　と反発したり、かわいそうにと同情を感じたりしますね。恐怖《きょうふ》を感じることもあるでしょう。そうした感情がつながりの役目をはたして、理解しようとするトピックの理解を深めることもあります。このように考えると、「物語にする」ことは、つながりを作ることによって私たちの理解や記憶《きおく》を助けてくれるのだと言うことができます。

アヤ　なるほどー。歴史以外でもやっぱり「物語化」の効果ってありますか？

犬塚　そうですね。物語でよく用いられる手法で「擬人化《ぎじんか》」というのがありますが、これもつながりを作るのに一役買っていると思います。人ではないものを人のように描《えが》くことで分かりやすくする効果があるんですね。擬人化《ぎじんか》を使った小説やマンガも多いです。例えば、私は『はたらく細胞《さいぼう》』というマンガが大好きなのですが、このマンガでは、「赤血球」や「白血球」が「人間の体の中で働いている人」として擬人化《ぎじんか》されていて、その働きぶりを通して、人間の体の仕組みが理解できるように描《えが》かれています。赤血球、白血球の働きと聞くと、取っつきにくい、イメージしにくいという感

じがしますけど、「運ぶ」「駆《か》けつける」というような人間の活動にたとえて表現されることで、自分が知っている世界に結び付けられるようになるんですね。

また、登場人物が問題解決する中で科学的知識や数学的知識が使われる、というような展開のマンガもありますね。『Ｄｒ．Ｓｔｏｎｅ』はこういうマンガのよい例です。このマンガは、文明の絶えた世界で科学的知識を使って様々な問題を解決して文明を取《と》り戻《もど》そうとしていく物語です。このような設定を通して、登場人物や場面とそこで使われる知識、それで解決された問題や、そのとき感じたことや考えたことがつながるので、その場面で提示される科学的な知識についての内容がよりよく理解され、記《き》憶《おく》されやすくなると考えられます。

視覚化の効果

マコ　マンガがいいって私が思う理由はもう一つあります。絵になってるっていうことなんですけど、これはマンガ独自の効果なんじゃないかな。今取り組んでるような歴史上の事件についてっていうテーマだと、人がたくさん出てくるんだけど、マンガ

だと顔とか雰囲気《ふんいき》も分かるから便利。服装も、ああこういう服を着てたんだなとか、こんな町なんだなって分かると楽しいし。文章からイメージするのって難しいから、絵で描《えが》いてもらうと助かると思う。

アヤ さっきの偏《かたよ》りっていうところを考えると、顔が分かるっていうのは危ないかもね。悪役は悪そうな顔で描《えが》かれていたり、主人公は必要以上にカッコよく描《えが》かれていたりするかもしれない。

犬塚 それは大いにありそうですね。「物語化」するにあたって、やっぱり主人公は魅力的《みりょくてき》じゃないとダメですもんね。歴史上の人物だと正確な顔かたちは分からないことも多いでしょうから、その作者のイメージによって大いに変わってくると思いますが、やっぱりだいぶ今風に美化されるんじゃないかと思います。

でも、マコさんが言っていたように服装や街並みなども絵になっているとよく分かりますよね。あとは地理的な情報もマンガの方が分かりやすいかもしれませんね。

ヨシキ それなら、映画とかテレビドラマとか、あとはアニメとかもよさそう。

犬塚 そうですね。いずれの場合も色々とかっこよくされすぎてしまう、という問題はあるかもしれませんが、どんな様子だったのかをイメージするのにはいいですね。

マコ あ、日本の歴史で言うとさ、時代劇の合戦場面に馬が出てくるじゃない？　あれもカッコよすぎる問題なんだよね。実際にはあの時代の馬はもっと小さいはずなの。あんなサラブレッドじゃないの。今の基準で言うとポニー。私は実際に見たことはないんだけど、日本在来種の馬はもっと背が低くて、ずんぐりしてて、おとなしい性格なんだって……かわいいよね。

アヤ もう、マコは動物が出てくるとすぐに「カワイイ」だもんなあ。でも馬の大きさが違《ちが》うって意外だったな。時代劇に出てくる感じよりだいぶ小さいってことだね。なんか雰《ふん》囲《い》気《き》変わるかも（図6－1）。

犬塚 それは私も知りませんでした。テレビやマンガのイメージを強く持ちすぎると実際の出来事とずれてしまうことも多そうですね。

とはいえ、文章だけから正確な姿をイメージするのも難しいので、実物との間にずれが生じることもあります。自分の経験や知識のレパートリーにないことについて、文章からイメージするのは大変なことも多いですから。歴史的な出来事についてもそうですし、文化や風景の大きく異なる外国や地域のこともそうですね。文章から自分が作り上げた表象と実物とのずれを見つけるのもまた楽しいものですし、自分なりの

図 6-1 映画やテレビドラマの「カッコよすぎる問題」

本当の日本在来種

時代劇のカッコイイ馬

イメージを広げることが読むことの大きな楽しみの一つでもあると思いますが、それができないから分かりにくい、憶《おぼ》えにくいということもまた事実だろうと思います。そんなときは、実際の映像やマンガを通してより具体的な様子をイメージできるようになることが理解の助けになりそうですね。

トップダウンの処理とマンガ

ヨシキ　うーんマンガも悪くないんだっていうのはマンガ派としてはうれしいんだけど、今回の調べ学習どうしよう。より偏《かたよ》りのない情報であることを重視してアヤの持ってきた本を読むか、偏《かたよ》っていても頭に入ることとイメージができることを重視してマンガを読むか……!?

犬塚　迷うことないですよ。両方読めばいいじゃないですか。偏《かたよ》りのない、物語ではない文章を読む方が難しいというのが一般的《いっぱんてき》な傾向《けいこう》だと思いますので、まず、マンガや小説のような物語を通してつながりを作ったうえで、偏《かたよ》りの少ない説明文や資料、解説を読むとよいのではないでしょうか。すでにつながりが

できていれば、新しい情報はそこに結び付けて理解することができますから、説明文の内容も分かりやすく、憶《おぼ》えやすくなりますね。

マコ なるほど、マンガや小説を土台にするんですね。

犬塚 土台というのはとてもよいたとえですね。弱みがあることは理解しつつも、マンガを読むことが読解を助けてくれる場面もたくさんあるということは知っておいてほしいですね。積極的に色々なマンガを読むとよいと思います。

ここまで、「物語化」と「視覚化」の二つを主に取り上げて、マンガの強みと弱みを考えてきましたけれど、マンガはその二つの特徴《とくちょう》をフルに使って分かりやすく憶《おぼ》えやすい情報提示をしていると言えるでしょう。

アヤ 今知りたいことに直接関係ないマンガでも役に立つ場面があるように思います。例えば、歴史の話で言うと、江戸《えど》時代を舞台《ぶたい》にしたマンガ読んでたら、歴史で江戸《えど》時代のことを勉強するときに使える情報があるかもしれない。

犬塚 そうですね。アヤさんと「トップダウンの処理」が大事だという話をしましたね。

アヤ ああ、憶《おぼ》えてます、洗濯《せんたく》の話！（第2章）

犬塚　そうそう。なんの話だか大枠《おおわく》が分かっていて、関連する知識が使える状態になっていると「分かる」ことであっても、関連する知識がなかったり使えなかったりすると同じ文章でもよく理解できないのでしたね。例えば、こんな文章が出てきたらどうでしょう。

諸大名にとって、一年おきに大掛《おおが》かりな準備をして、大勢で江戸《えど》に向かわねばならないということは大きな負担であった。十分な「立派さ」を示すためには、それなりの装備と人数が必要であったからだ。また、特に遠方の大名にとっては長い旅程の計画だけでも大仕事であった。川を越《こ》えるための橋の建設や道路の整備なども含《ふく》めると、莫大《ばくだい》な費用が必要であった。

アヤ　分かります。参勤交代ですよね。

マコ　ほとんどみんな歩いていくわけだから遠いとそりゃあ時間がかかりますよね。

ヨシキ　そうだよな。道も今みたいに舗装《ほそう》された平らな道路じゃないからなあ。九州だと海も渡《わた》らなくちゃいけないし。お金かかって大変だっただろうね。

犬塚 今、皆《みな》さんは「参勤交代」についての知識や、実際の行列についてのイメージ、「遠方の大名」が歩いた距離《きょり》や自然環境《かんきょう》についての知識、といった様々な知識を使って読んでいたことが分かりますね。社会の授業で勉強したこと、時代劇で参勤交代の行列を見たこと、マンガを読んだりして得た知識やイメージが、多少実際の様子とのギャップはあっても、文章の理解を助ける知識として働いてくれることが分かります。

アヤ お金がない大名が参勤交代の準備を整えるために苦労してる場面を映画で見たことあります。この文章読むとき、その映画で見た光景を思い出しました。それもトップダウンの処理につながったんですね。

犬塚 その通りです。関連する知識が、「大勢で江戸《えど》に向かう」と読んだときにどんな表象を作るか、その大枠《おおわく》を作ってくれるんですね。

このように、外国のことや昔のことなど、自分が知らない世界について書いてある文章を読むときに、関連する知識が必要なことが分かります。関連知識がないと、「分からない単語はないのだけど、どういう状況《じょうきょう》なのかさっぱり分からない」という状況《じょうきょう》に陥《おちい》りやすくなるんですね。

今、みんなで「応仁《おうにん》の乱」についての説明文を読もうとしているわけですが、その

ときに、時代背景や地理が分かっていれば、「ああそういうことか」とピンとくることが多くなるでしょう。これは、関連する知識が理解の枠《わく》組《ぐ》みとして働いてくれるから、と言えます。

先ほどマコさんが言ったように知識を「土台にする」、あるいは知識を使ってトップダウンの処理を促進《そくしん》する、ということができるんですね。

アヤのノート

- マンガが分かりやすいのは、「物語化」「視覚化」の二つの効果によってつながりが作られやすくなるから
- 「物語化」や「視覚化」は、偏《かたよ》りが生じるという弱点がある
- 勉強したい内容に直結する内容でなくても、関連する情報に触《ふ》れることでトップダウンの処理が助けられ、分かりやすくなる

第7章　図とかイラストを増やしてほしい？

図で分かりやすくなる？

ヨシキ　先生、この本すごく分かりにくくて困ってるんですよ。もうちょっと図とかイラスト入れてくれればいいと思うんですけど。なんでそうしてくれないんだろう。

犬塚　なるほど。図やイラストがあれば「分かりやすい」のに、そうしてくれない、と。

ヨシキ　そうなんですよ。絶対図がある方がいいと思う。でもこれは読解とは違《ちが》うのかな。図とかイラストって文じゃないですよね。

犬塚　図やイラストも「意味を記号で表す」という意味では文章と同じ働きをもっていますよね。どこが違《ちが》うかというと、文章が、前から順に処理していって意味を作っ

ていくような仕組みで書かれているのに対して、図やイラストはあっちを見たりこっちを見たり、いろんな順番で処理していくことができますね。

ヨシキ 確かに、文章は前を受けて後ろの言葉の働きが決まるけど、図だと注目するところによってそれぞれ違《ちが》うことが分かるみたいな感じがあります。

犬塚 まさにそういうことです。そういう特徴《とくちょう》から文章は「連続テキスト」、図やイラストを「非連続テキスト」と呼んで区別することもあります。

ヨシキ どちらも「テキスト」なんですね。テキストっていうと「本」「教科書」みたいなイメージだけど……。

犬塚 テキストという言葉は本や教科書という意味もありますが、文章や文字・記号で表現するもの全体を指して使われることもあるんです。この場合は「文章や文字を使って表現するもの」の方の意味ですね。連続テキストも非連続テキストも、意味を見出《みいだ》すやり方が違《ちが》うけれど、どちらも意味を記号で表現しているテキストだというわけですね。

ヨシキ うーん、確かにそう言われたらどちらも「テキスト」だなあ。でも読んだときの感じはずいぶん違《ちが》うと思います。

図 7-1　数の変化を表す文章と図

A

ヨシキさんは自転車のカゴにリンゴを3つ入れていました。
道の途中で会ったマコさんがリンゴを2つくれました。
ヨシキさんは今いくつリンゴを持っているでしょう。

B

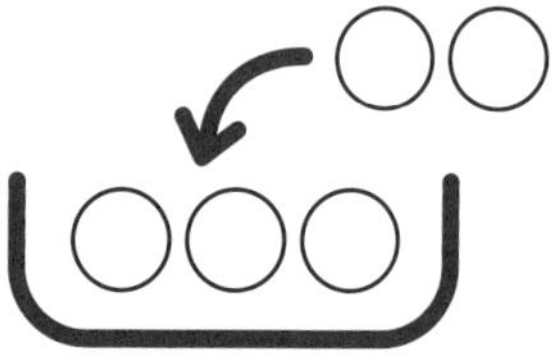

犬塚　そうですね。まずは、図と文章の違《ちが》いについて考えてみましょうか。

ヨシキさん、上の二つを比べてみてください（図7－1）。AとBではどこが違《ちが》いますか？　どちらの方が分かりやすいでしょうか。

ヨシキ　うーん。下の図は、マルの数と動きに目が行きます。でも、この図だけ見ても、何の話か分からないですよね。持ってる人も不明だし、自転車のカゴってことも分からない。リンゴなのかミカンなのかクッキーかもしれないし鏡餅《かがみもち》かもしれない。いや、鏡餅《かがみもち》5つは多すぎるか……。あと「もらった」かどうかも不明ですね。

犬塚　そう、その通りです。

ヨシキ やっぱり鏡餅《かがみもち》5つはないですよね。

犬塚 いや、鏡餅《かがみもち》のことじゃなくて……！

まず、文章に示されている「ヨシキさん」も「カゴ」も「リンゴ」も図にはないですね。それに、「もらった」という情報もありません。何が起こったのか分からないけど、数は分かる。これをリンゴの図にしてもいいし、例えば人が渡《わた》しているイラストにすればいいようにも思いますが、この文章で注目したいのは「数が増えていくつになったか」なので、そのほかの情報は省略されている図でもいいですよね。

ヨシキ それでもいい、というか、それがむしろいいっていうこともあるのかな。この例くらい文が短ければいいけど、すごく長い文だと、そこから関係ある情報を取り出して考えるのって大変だから、注目しないといけないことだけあらかじめ取り出してあればラクですよね。

犬塚 まさにそれが非連続テキストの強みです。実際には、図だけが単独で使われるというより、文章と図がセットで使われることが多いですね。文章で説明したうえで、図にポイントになる要素を抜《ぬ》き出《だ》して関係性を明示することで、両方の強みが活《い》かされるわけです。

ヨシキ　図がメインっていう逆パターンもある気がしてきたんですけどどうでしょう。文章で書き表すのはすごく難しそうな図ってありますよね。そうそう、こういうやつです（図7－2）。

犬塚　確かに、この図を見たら分かることを全部文章で表現しようと思ったらかなり大変なことになりそうですし、分かりにくそうですね。

ヨシキ　ですよね！　こういうのは断然、図の方がいいと思うなあ。

犬塚　文章で実際のモノの状態やイメージを表現するには、見たことやモノを一度言葉に翻訳《ほんやく》しているわけで、その言葉から実際のモノの状態やイメージを理解するには翻訳《ほんやく》しなおしが必要ですね。そう考えると、実際のモノの状態やイメージを伝えるのは図の方が得意だと言えそうです。

　このように、文章と図では説明の仕方が違《ちが》っていて、それぞれの強みを考えた表現をしたり、組み合わせたりすることで分かりやすさを発揮していると言えますね。

図 7-2 油圧ブレーキの仕組みの説明

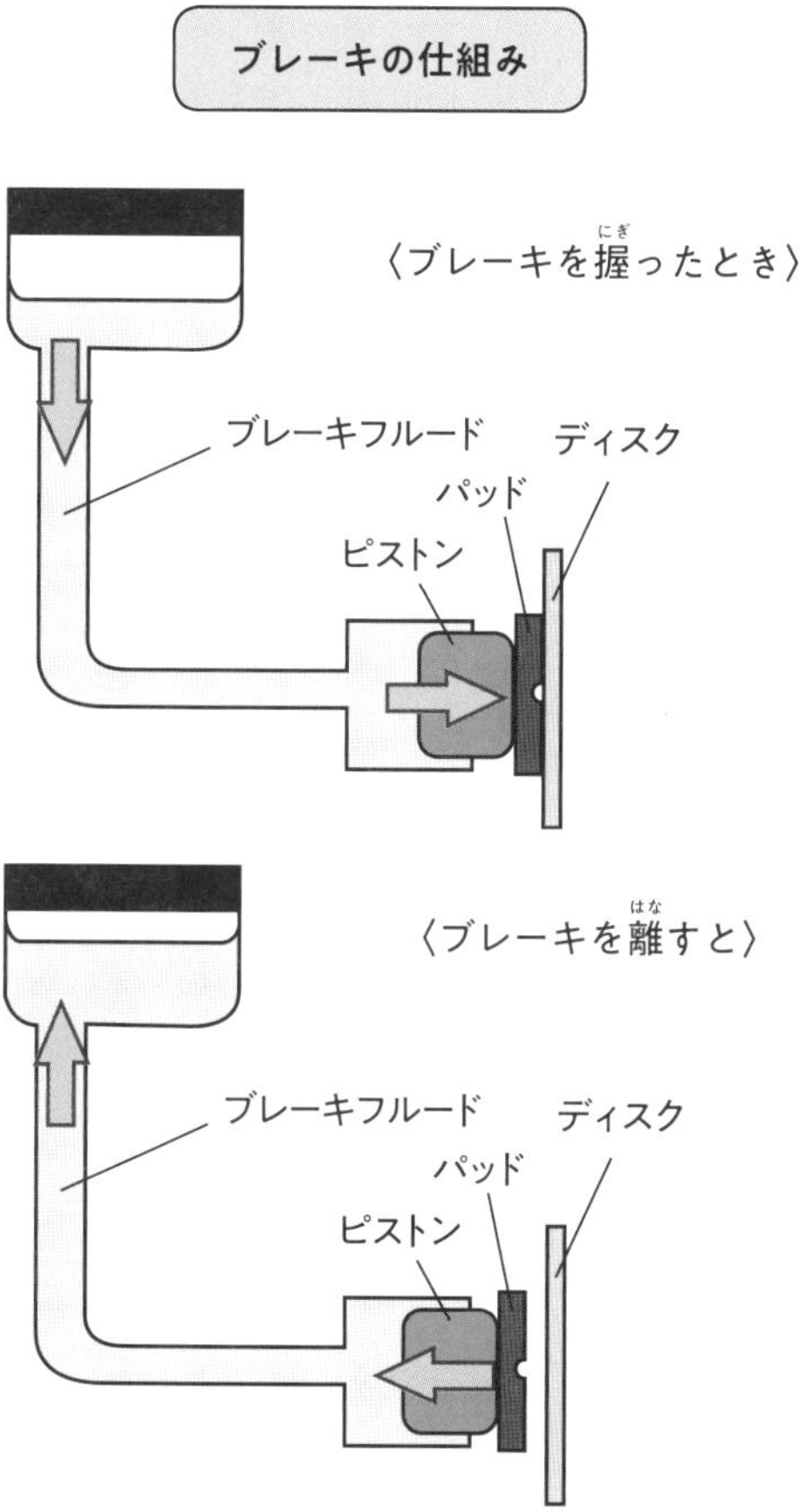

油圧ブレーキでは、ブレーキフルードがディスクにパッドを押《お》し付《つ》けることでディスクの回転を止めている。

図の分かりやすさの秘密

犬塚　次に、別の観点から図が分かりやすい理由を考えてみましょう。文章だけのAと、内容を図を使って表現したBではどちらの方が分かりやすいですか？（図7－3）

ヨシキ　Aは文章が長いですねー。それをBみたいな図にするとずいぶんコンパクトになるなーと思いました。これって、赤ちゃんのお父さんお母さんが、「どうしよう、赤ちゃんが吐《は》いた！」って思って読むわけでしょう？　図だとすぐにどうしたらいいか分かっていいですね。

犬塚　どうしたらいいかすぐに分かるのは、図が「場所・位置で情報を明確化する」という機能を発揮しているからです。

ヨシキ　どういうことですか？

犬塚　線形テキスト（文章）では、それぞれの情報の関係について「説明」があって、それを読んで関連付ける作業を頭の中でやりますね。

一方、非線形テキスト（図）の場合は、隣同士《となりどうし》に描《えが》かれているとか、線でつながっ

図 7-3 赤ちゃんが嘔吐《おうと》したときの対応

A 夜、赤ちゃんが嘔吐《おうと》してしまった場合、病院に行くべきか家で様子を見るべきか迷うことが多いでしょう。赤ちゃんは大人と比べると、ちょっとしたことで吐《は》いてしまいます。寒い中病院に行くことがかえって赤ちゃんの負担になってしまうことも考えられます。病院に行くかどうかの判断基準としてまず気にしてほしいのは、お子さんの様子です。ぐったりしているのか、元気に手足を動かしているか。嘔吐《おうと》しただけで元気に動いている場合には、それほど心配ない状況《じょうきょう》であることがほとんどです。そんなときは様子を見ながら、必要であれば翌日以降落ち着いて病院に行く方がよいでしょう。元気でも熱がある場合は、翌日以降に受診《じゅしん》する方が安心です。一方、ぐったりしているときは心配です。ぐったりしていても熱がなければ翌日以降の受診《じゅしん》でよい場合がほとんどですが、特に熱が高いときはできるだけ早く受診《じゅしん》する方がよいでしょう。いずれの場合も赤ちゃんの様子に注意して、心配であれば救急電話相談を利用してアドバイスを聞いてみるのがお勧《すす》めです。

B

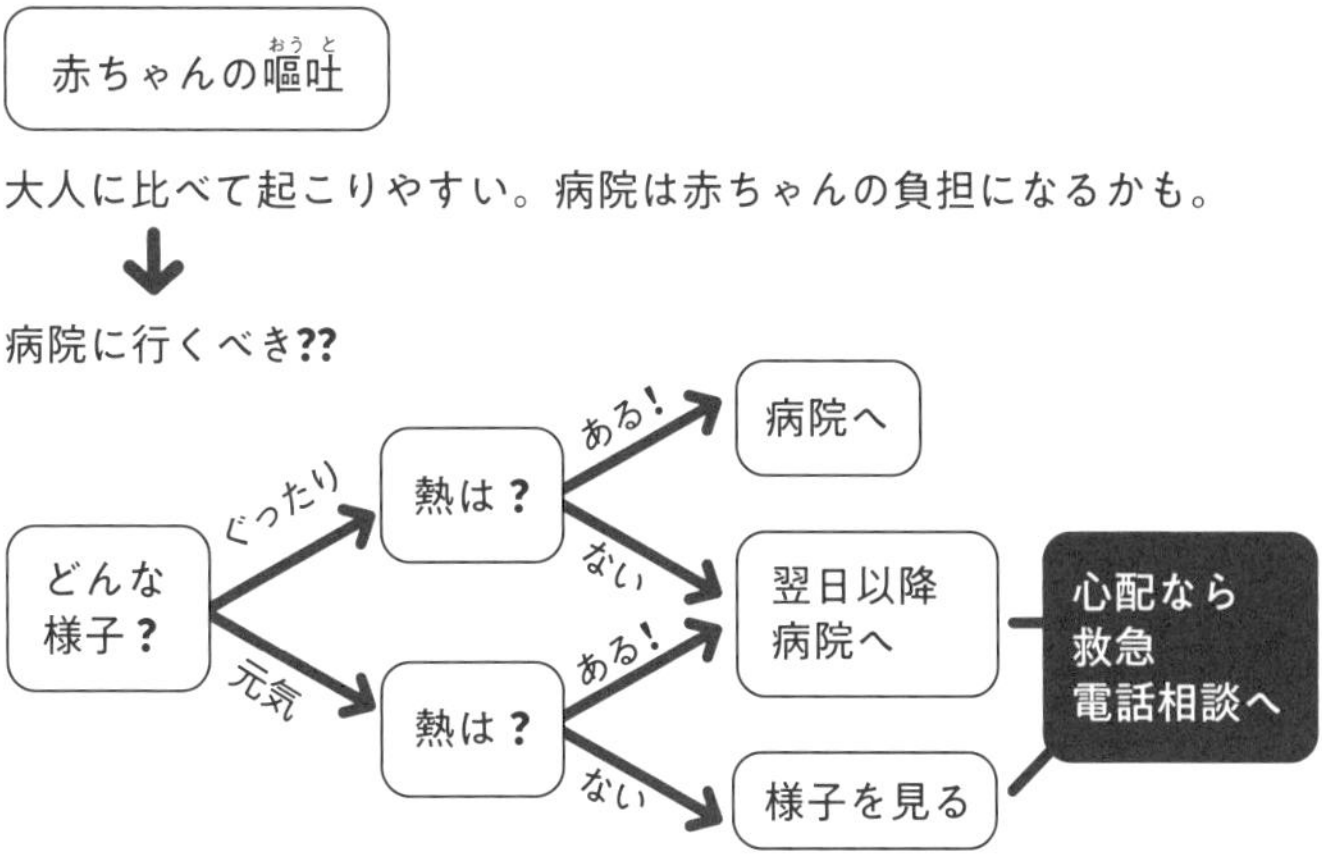

ているとか、実際のイメージのここにありますよ、という感じで、その情報が示されている「場所」とか「位置関係」をもとに理解していくことができます。

ヨシキ　位置で情報を示すのが「図の分かりやすさ」の秘密ってことですね。

犬塚　そういうことです。図がどうして分かりやすいかを論じたラーキンとサイモンの論文（Larkin & Simon, 1987）では、位置で情報を示すことで二ついいことがある、と言っています。

　一つ目は、情報を素早《すばや》く簡単に見つけられること。図7－3では判断基準と取るべき行動、というのが「知りたい情報」でした。文章と比べて図の方が早く簡単に知りたい情報を見つけられましたね。

ヨシキ　確かに。図7－3の文章から「知りたいことを見つける」のは大変そうでした。

犬塚　二つ目は、文章だと自分で考えなくてはならないような関係性が明らかにされることで、考える必要性が少なくなるということです。図7－3だったら「元気だけど熱がある」と「元気がないけど熱はない」の対応が同じになることは、文章だとちょっと考えないと分かりませんが、図だと一目瞭然《いちもくりょうぜん》になりましたね。

ヨシキ　頭使わないでいいってことですね。ああ、だから分かりやすいって思うのかあ。

納得《なっとく》です。

でも先生、それって「そういう〝よい図〟だったらね」ってことですよね？　知りたいことがちゃんと書いてなかったり、関係性がモヤッとしたままの図だったら、図にしたって分かりにくいってことになりませんか？

犬塚　その通りですね。ですから「図にした方が分かりやすい（その図が知りたい情報とその関係性をちゃんと示してくれたらね）」ということになりますね。実はカッコの中が大事。

ヨシキ　じゃあ、「図があって分かりやすいだろうと思ったのに、その図が分からなくて凹《へこ》む」というのは、もしかすると自分のせいじゃないってことになりませんか⁉

犬塚　その可能性はありますが、「図を理解するための知識がない」という可能性もあります。ヨシキさん、次の図を見て意味が分かりますか？（図7－4）

ヨシキ　分かりますよー。お風呂《ふろ》にお湯を入れていってどんどんたまっていく様子ですよね。横軸《よこじく》、x軸《エックスじく》が時間を表していて、縦軸《たてじく》、y軸《ワイじく》がお湯の量でしょう？　20分あたりで増えなくなって２２０リットル以上に増えないのは満杯《まんぱい》になってあふれちゃうからじゃないかな？

犬塚　そうですね。ここには二つの軸《じく》から構成されている平面に線が引かれているわ

図7-4 図を理解するための知識がないと分からない

お風呂のお湯の量の変化

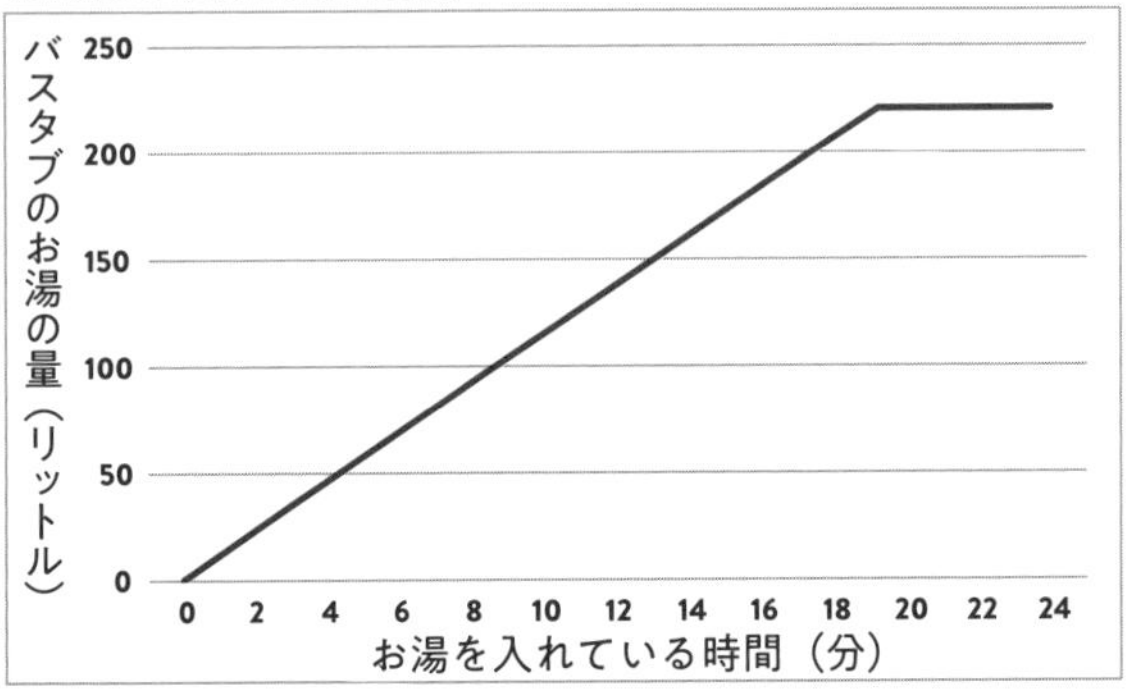

けですけど、その線をどういうふうに読み取るか、関数の知識がないと図の表している状況《じょうきょう》が分からないんじゃないでしょうか。

ヨシキ そうですね……でも、それを言ったらさっきまでの図で出てきた矢印も結構ビミョウじゃないですか？　この線が何を表しているのか、知らないと図の意味は分からないですよね？

犬塚 そうですね。図7－3の矢印が分かれていることが何を意味するかとか、分からない場合にはあの図は決して分かりやすくないということになります。

ヨシキ そうかあ。じゃあ、「本の図が分かりやすくない」というときは、

1　図がダメ
2　自分に図を理解するための知識がない

の2通りありうるってことですね。

図の効果と副作用

犬塚　さて、図やイラストには、「情報を見つけやすくし関係を分かりやすくする」以外にも効能があります。例えばこんなのはどうでしょう？（図7－5）

ヨシキ　う－ん？　これは、AとBでまったく同じ文章ですよね？　だからどっちの方が分かりやすいかって聞かれても、特に違《ちが》いはないなあ……。でも、どっちの方がいいかって聞かれたら断然Bですね！

犬塚　どうしてでしょう？　別にこのイラストいらないですよね？

ヨシキ　「同じ」なんですけど……なんていうか、Bの方が読む気になるっていうか……。

犬塚　そう、それも図の効果の一つです。

図 7-5 どちらの方がいい?

A

皆《みな》さんは自転車でどこを走っていますか？　実は、道路交通法では、歩道のある道路では自転車は車道を通行しなければならない、と決められています。歩道を通行すると、通行区分（車道と歩道）違反で 3 か月以下の懲役《ちょうえき》または 5 万円以下の罰金《ばっきん》が科《か》せられることがあります。

B

皆《みな》さんは自転車でどこを走っていますか？　実は、道路交通法では、歩道のある道路では自転車は車道を通行しなければならない、と決められています。歩道を通行すると、通行区分（車道と歩道）違反で 3 か月以下の懲役《ちょうえき》または 5 万円以下の罰金《ばっきん》が科《か》せられることがあります。

ヨシキ　読む気になるっていうのがですか？

犬塚　はい。図、この場合はイラストという方が適切かもしれませんが、図には、読み手の注意を引き付けたり、「読みたい」という気持ちを引き起こす効果があるんです。街の中のポスターとか広告のように「誰《だれ》かにぜひ読んでほしい！」というものにはイラストがついていることが多いですよね。それは、図やイラストで目を惹《ひ》いて読もうという気持ちにさせるための工夫《くふう》なんですね。

ヨシキ　もしかすると、これまで自分が思ってた「図がある方がいい」っていうのはこっちの効果が大きいかもしれないです。

犬塚　特にすてきなイラストがあると、「読みたいな」という気持ちになりますよねえ。分かります。

一方で、図7－5のような「内容理解には特に関係のない図」があることは、理解を妨《さまた》げることにもつながるので、注意も必要です。

ヨシキ　えっ、図があることが逆効果になるってことですか？

犬塚　はい。さっき「図には注意を引き付ける効果がある」という話をしましたよね。

ヨシキ　はい。だから読みたくなるんですよね。

犬塚 でも、注意深く文章を読んでほしいのに、まわりにすてきなイラストがあったらどうでしょう？

ヨシキ あー……イラストばっかり見ちゃってろくに文章を読まない、みたいなことが……。

犬塚 起こるんですよ。

ヨシキ うーん、そんな副作用が……。言われてみれば、イラストだけ憶《おぼ》えてる本、あります……！　うわー、ごめんなさい作者の人……！

犬塚 いや、イラストにはそういう効果があるので仕方ないんです。確かにすてきなイラストはみんなの〝読む気〟を起こしてくれるんですが、やりすぎたり、理解してほしい内容と関係ない情報に目を惹《ひ》きすぎたりすると、本来の目的を達成できなくなる恐《おそ》れがあるんです。

ヨシキ 意外と使い方が難しいんですねえ。

犬塚 用法用量に注意、です！

マルチメディアも同じこと

犬塚　ここまで、「紙に印刷された本」をイメージしてお話ししてきましたが、最近だと、パソコンやタブレットを使ってデジタルで読むことも多いですよね。テクノロジーを使って様々な表現を使うことを「マルチメディア」と呼んでいます。「マルチ」は複数の、「メディア」は伝える手段という意味なので、紙に印刷されている文章と図も広い意味では「マルチメディア」なんですが、典型的には音声とアニメーション、動画というような組み合わせが「マルチメディア」と言われます。
　そういえばヨシキさんは動画が好きって言ってましたね。

ヨシキ　そうですね。本を読むっていうより、動画とか見る方が分かりやすいって思っちゃいます。

犬塚　動画の強みを考えてみると、まずは図7－2で見たような「実際の状態やイメージ」がそのまま使われているっていうことがありますね。

ヨシキ　しかも動きが分かったり、角度変えたときの見え方も分かったりするので、図

が一つあるよりさらに「見れば分かる」って感じがします。

犬塚 例えば、今はやりのコンピューターグラフィックス（CG）を使った説明は、そうした強みを最大限に使っていると言えます。

それに加えて「マルチメディア」だと目だけでなく耳を使うというのが特徴《とくちょう》ですね。これは、文章と図を組み合わせて使うときに大きな効果があります。

ヨシキ えっと……紙に印刷された本だと、読んで、図を見て、読んで、みたいに目を行ったり来たりさせなきゃいけないけど、文章を読み上げてもらいながら図を見るってことができるってことですね。

犬塚 その通りです。図を見ながらその部分についての説明を聞く、というのが同時に、ラクラクできるので、より理解がしやすくなります。

ヨシキ 動画だけじゃダメっていうのは前に話したけど、動画もうまく使ったらいいってことですね！　ラクに分かるならその方がいいもんなあ。

犬塚 はい。基本的にマルチメディアには理解を向上させる効果がありますから、動画もうまく使うべきです。ただ、マルチメディアを使うときにもいくつか注意することがあります。

ヨシキ　やっぱり副作用的なことが起こったりしますか？

犬塚　そうですね。まず、面白《おもしろ》いキャラクターや、好きなタレントが出てたりしたら、そちらにばかり注意が向いてしまって肝心《かんじん》の中身に集中できない、というイラストのときと同じことが起こりますよね。

ヨシキ　それは……すごく実感してしまいます……。

犬塚　あとは、マルチメディアがうまく作られていないとかえって分かりにくくなるということもあります。

ナレーションで話している内容とずれたアニメーションが出てきたり、文章とナレーションが重なっていたりするとせっかくの「文章の説明と図の説明の組み合わせ」という強みが十分に発揮されません。それぞれで違《ちが》うことを説明していたらうまく全体像が作れないままで終わってしまうこともあります。

ヨシキ　うーん。それじゃあ、動画だから、マルチメディアだからいいっていうわけでもないんですね。目を使う情報と耳を使う情報がうまく組み合わせられたものだと、分かりやすい。

犬塚　はい。現状では、動画サイトやテレビで使われているマルチメディアがすべて

よいものと言うわけではありません。すごくうまく作られているものもあれば、むしろ副作用がありそうなものもあります。よいマルチメディアか、イマイチなマルチメディアか、「目と耳の使われ方」「自分の注意がどこに向いているか」をチェックポイントにして、できるだけよいものを選べるようになりたいですね。

ヨシキのノート

○図の効果

①必要な情報を見つけやすい
②情報の位置関係が関係性を表してくれる
③〝読む気〟になる

○図を使うときの注意点

①図を理解するのに必要な知識がないとダメ！
②図が注意を引き付けすぎて理解の邪魔《じゃま》になることもある
③マルチメディアの場合は、目を使う情報と耳を使う情報の組み合わせ方がマズイと分かりにくくなる

第8章 読解力は一人で鍛《きた》えるモノ？

自分が分かっていないということが分かっているか ——メタ認知《にんち》

犬塚 こんにちは、アヤさん。課題は進んでますか？ ヨシキさんとマコさんも「頑《がん》張《ば》って読んでみる」って言ってましたよ。

アヤ ヨシキとマコもやる気になったみたいでよかったんですけど……なんか「一人だと寝《ね》ちゃう」とかマコが言ってて心配です。じゃあ一緒《いっしょ》に読もうかなって思ったんですけど、それはあんまりよくないかなあ、という気もして……。

犬塚 どうして「よくない」と思ったんですか？

アヤ　なんか、本を読むっていうのは一人で集中して静かに、みたいなイメージがあって、友達とワイワイ読むって変かなと思ったんですけど。

犬塚　友達と取り組むことにはいくつか効果がありますが、その一つ目が「楽しい気持ちになる」ということでしょう。友達がいたら何をしていても楽しいですもんね。でも、友達とおしゃべりすることに夢中になってしまって、せっかく読もうと思っていた本に目もくれない、というのでは読解力にはつながらないですね。

アヤ　そうなんですよ、それがちょっと心配で。マコと話してると楽しいからなあ。

犬塚　そこはちょっと工夫《くふう》が必要ですが、友達と一緒《いっしょ》に読むというのは、読解力を高めるための練習方法として有効だと思いますよ。やり方によっては一人で読む以上に読解力が高められるかもしれません。

アヤ　じゃあマコやヨシキと一緒《いっしょ》にやってみようかな。うまくいくためのポイントはありますか？

犬塚　そうですね、「メタ認知《にんち》」かな。

アヤ　メタ認知《にんち》？　メタ？

犬塚　メタは「一段上の」という意味で、認知《にんち》は「知的な活動」のことです。

この二つが合わさって「メタ認知《にんち》」。自分の知的活動を一段上から把握《はあく》する頭の働きを指す言葉です。人の知的な活動には、実際の課題解決にあたる「認知《にんち》レベル」の活動と、その認知《にんち》レベルの活動を監視《かんし》・コントロールする「メタレベル」の活動があるというふうに考えられるんです。メタ認知《にんち》はこのメタレベルでの活動を指す言葉です (Nelson & Narens, 1994)。

アヤ 自分の知的活動を監視《かんし》・コントロールするって例えばどんなことですか？ よく分からないな……。

犬塚 今アヤさんは「よく分からないな」と言いました。それもメタ認知《にんち》です。自分はこれが理解できていない、ということを自分で把握《はあく》できているということです。理解しようとしているのが「認知《にんち》レベル」、それがうまくいっていないことを見つけるのが「メタレベル」です。

これが普段《ふだん》勉強しているときも働いていて、例えば、数学の問題を解いているとき、式を立てたり計算したりするのは「認知《にんち》レベル」の活動です。一方、その認知《にんち》レベルの活動がうまくいっているか、分かっているか、「あれ、なんか変だな？」と気づく役割が「メタレベル」の活動、メタ認知《にんち》の監視《かんし》の働きということになります。

図8-1　メタ認知《にんち》をサッカーにたとえる

アヤ　うーんと、フィールドでプレイする選手と監督《かんとく》みたいな感じですか？（図8-1）ボールを運ぶのは選手だけど「あそこのスペースがうまく使えてないな」とか「左サイドのマークがきついな」って考えるのは監督《かんとく》で、選手が「認知《にんち》レベル」、監督《かんとく》が「メタレベル」の働きをしてるってことかな。

犬塚　いいたとえですね。
メタ認知《にんち》の一つ目の働きは、ここまでお話ししてきた監視《かんし》、分からないところのチェックです。何か問題を解いたり理解しようとしているときに、うまくいかなくなることもありますよね。
そのときに早い段階で「あれ何かおか

しいな」と気づくことが重要です。勉強しているときに、まだちゃんと理解できていないのに「よーし、もう全部分かった！　カンペキ！」って思っていたらなかなかできるようにならないですよね？

もう一つは、チェックの結果を受けて、「もう一度やりなおそう」とか「ゆっくりやってみよう」と作戦を立てなおす働きで、これを「コントロール」と呼んでいます。さっきのフィールドスポーツの例で言うと、監督《かんとく》が「今日は◎◎は動きが悪いから交代させるか」とか「もっと右サイドを使おう」と作戦を変更《へんこう》したりすることに当たります。もちろん、チェックの結果がうまくいっているのなら、作戦変更《へんこう》は必要なくて「このまま続行」というコントロールをするかもしれないですね。

そうやって、現状をきちんと把握《はあく》しておくこと、その改善のための作戦を実行することが、スポーツでも、読むときにも大事なんです。でも、認知《にんち》レベルの活動でいっぱいいっぱいになっているときには、なかなかうまくメタ認知《にんち》が働かないこともありますよね。

アヤ　じゃあ、メタ認知《にんち》には鬼監督《おにかんとく》として厳しく見張っていてもらわないといけないですね！

犬塚　うーん、ところが、難しいポイントが二つあるんです。

まず、メタ認知《にんち》は基本的に甘《あま》いんですよ。本当は分かってないのを見逃《みのが》してしまうことが多いんです。私たちの「分かったつもり（だけど実は分かってない）」っていうのはメタ認知《にんち》がちゃんと働いてないってことです。監督《かんとく》のチェック、甘《あま》くなりがちなんです。

アヤ　あと、モヤッとしか働かないときもありそうです。問題が解けなくて先生に質問したら「どこが分からないの？」って聞かれて、「なんか分かんないけどとにかく全部よく分かりません！」て答えちゃったり。一応「分からない」という感覚はあるんですけど、「何が分からないのか分からない」みたいな。一応「分からない」ことはチェックできてるけど、ちゃんとメタ認知《にんち》が働いてるかって言われるとちょっと足りないかなあと思います。

犬塚　そうですね。本を読んでいるときも、できれば「ここが分からない」というポイントを把握《はあく》したいですよね。

メタ認知《にんち》が難しいもう一つの理由は、認知《にんち》レベルとメタレベル、その両方での活動を一人でやらなくてはならないところです。

アヤ フィールドでプレイもするし、監督《かんとく》もするってことですね。それは確かに難しそう。

犬塚 読んでいるときもそうです。

読んでいるときにメタ認知《にんち》を働かせるというのは、頭の中につながりを作ると同時にそのつながりが途切《とぎ》れていたりねじれていたりするところがないかを確認《かくにん》していくという作業になります。

アヤ つながりを作るのが「認知《にんち》レベル」で、途切《とぎ》れやねじれのチェックが「メタレベル」ですね！

犬塚 そうです。両方同時にやっていくので、ついつい途切《とぎ》れやねじれを見逃《みのが》してしまうんです。

アヤ うーん。分かるような気もするけど、読んでて分からなくなったら「なんの話だか分からないぞ？」って気が付きそう。そうでもないんですか？

犬塚 では、次のような文で試《ため》してみましょう。こちらの文章を読んでみてください。なんか変だなあ、よく分からないなと思うところはありませんか？

すべてのアリには共通する点がいくつかあります。まず、アリには鼻がありません。アリは驚《おどろ》くほどの力持ちです。体重の何倍もの重さのものを運ぶことができます。ときには、自分たちの巣からはなれて遠くまでえさ探しに行きます。遠くに行きすぎると、帰る道が分からなくなってしまいます。家に帰る道を見つける特別な方法を使います。行く先々で、体から特有の化学物質を出すのです。これは、目には見えませんが、特有の匂《にお》いを持っています。この匂《にお》いをかぐことで、彼《かれ》らは迷わず家に帰ることができます。

（Markman, 1979 をもとに作成）

アヤ　え？　うーん、別にないなあ。これはそんなに難しくないし……分からないと思うところは特にありません。

犬塚　では、アヤさん、アリはどうやって家に帰るの？

アヤ　え？　匂《にお》いを手がかりにして、匂《にお》いをたどって帰るって書いてありました。

犬塚　どうやって匂《にお》いをかぐんですか？

アヤ　たぶん鼻に……あ、でも「鼻はありません」って。あれ？　なんか、鼻じゃな

い器官が匂《にお》いを検知するってことかな？　たぶんそうです。

犬塚　そう書いてありました？

アヤ　書いてはないですね……。

犬塚　そう、それは書いてないから「アリがどうやって匂《にお》いをかぐのか」は分からないはずなんです。「匂《にお》いをかいで帰ります」ってどうやってだよ！　てツッコミが入るべきところなんですが……。

アヤ　つっこまなかったですねえ。でもこれもメタ認知《にんち》ですか？

犬塚　この文章を読んで「ちゃんと情報をつなげようとしたら気が付くはずのつながりのなさ」ですから、このつながりのなさに気が付かないというのは「メタ認知《にんち》の失敗」と考えてよいでしょう。読みながら「ここにつながりがないけど、たぶんこういうことだろうな」と推論してつながりを埋《う》めるということはありうるし、その場合は「メタ認知《にんち》の失敗」とは言わないですね。アヤさんは読みながらそうやって考えたでしょうか。

アヤ　いや……全然気にもしてなかったですね。犬塚先生に聞かれて「ああそういえば」って感じで……。

犬塚 メタ認知《にんち》失敗。

アヤ ですね。

友達と読むことの良さ

アヤ うーん。メタ認知《にんち》失敗しない方がいいですよね。分からないことに気が付かないままっていうのはマズイよなあ。どうしたらいいのかなあ。

犬塚 そこでお友達登場ですよ。

アヤ 友達がいるとメタ認知《にんち》の働きがよくなるんですか？

犬塚 ある意味そうです。読んでいるときのメタ認知《にんち》が難しいのは、「つながりを作る」ことと「途切《とぎ》れやねじれのチェック」を同時にしなくてはならないから、でした。これを防ぐには、二つ手があります。

一つ目の方法では、お友達や一緒《いっしょ》に練習する仲間がカギになります。

アヤ メタ認知《にんち》がポイントになるってことは、さっき言ってたみたいに「友達がいる方がやる気になる」っていうだけじゃないってことですか？

犬塚 そうです。お友達を使ってメタ認知《にんち》を高めましょう。これはなにも、お友達を自分の都合がいいように利用する、というわけではないんです。まあもちろんそうなんですが、そこはギブ&テイクというかウィンウィンというか。お互《たが》いにメタ認知《にんち》を高めるような練習をしましょうっていうことなんです。

アヤ そんなウマイ話が……！

犬塚 ポイントは、友達に「メタ認知《にんち》係」をしてもらうことです。

アヤ どういうことですか?

犬塚 友達に「教えて」と言われたときに、「自分では分かったと思ったけどうまく説明できない」とモヤモヤすることはありませんか?

アヤ あります、あります！ そういうのは「分かったつもり」ってことなんでしょうか。

犬塚 そうですね。少なくともつながりがあいまいなところがあると考えられます。お友達と読むときに、この状況《じょうきょう》をわざと作ってみるんです。

アヤ 自分が読んで分かったと思ったことを友達に説明するってことですか?

犬塚 はい。そのときに、友達には「説明が分かりにくいところがないか厳しくチェ

ックしてね」とお願いしておくことが重要です。普通《ふつう》、友達が一生懸命《いっしょうけんめい》説明してくれたことに対して「ここが分からない」「あそこはどうなってるの？」とは言いにくいですから。「私のメタ認知《にんち》役としてぜひ厳しくお願いします」と伝えなくてはなりません。

アヤ 分かりました。それで、友達が「分からない」と言ったことに対して自分がちゃんと答えられるか、ということですね。友達の「分からない」がメタ認知《にんち》のチェックってこと……。

犬塚 はい。自分が分かったつもりになっているところをお友達に指摘《してき》してもらえれば、そこを勉強しなおしたり、読みなおしたりできますよね。

こういう練習のやり方を、私たちは「相互《そうご》説明」と呼んでいます（清河・犬塚、２００３）。この「相互《そうご》説明」では、お友達とペアになって、お互《たが》いに「説明役」と「質問役」を交代しながら読んでいきます（図8-2）。

アヤ 交代にやっていったら、二人とも説明とメタ認知《にんち》の両方ができていいですね。

犬塚 はい。説明役は理解したことをきちんと説明できるようにならなくてはなりませんが、そうすることでモヤモヤしていたりあいまいだったりするところが明確にな

るということも期待できます。

それから、相互《そうご》説明は、誰《だれ》かにメタ認知《にんち》役を永久にやってもらうための練習ではなくて、自分が自分の理解をチェックできるようになるための練習です。ですから、質問役は「相手がよりよく理解するためにやってあげる」というだけではなくて、「自分が読むときにもうまくメタ認知《にんち》を働かせられるようになる」ための練習という意味もあるんです。

アヤ 自分のことだと分かったつもりになっちゃうけど、相手のことだと足りないところが見えるということもありそうです。

犬塚 そうかもしれないですね。読むのが苦手な人同士だと最初は説明の仕方や質問の仕方が分からなくて戸惑《とまど》ってしまうこともあります。そういうときは、「評価役」として説明の良かったところや質問の手助けをしてくれる人がいるといいですね。

アヤ お姉ちゃんに「評価役」やってもらおうかなあ。お姉ちゃん、学校の先生になりたいって言ってたから、これも修行《しゅぎょう》ということで……。

犬塚 いいですね！ 「評価役」に教えてもらいながらやってみて、うまくできるようになったらお友達同士だけでも読む練習ができると思いますよ。

図 8-2 相互《そうご》説明のやり方(清河・犬塚、2003をもとに作成)

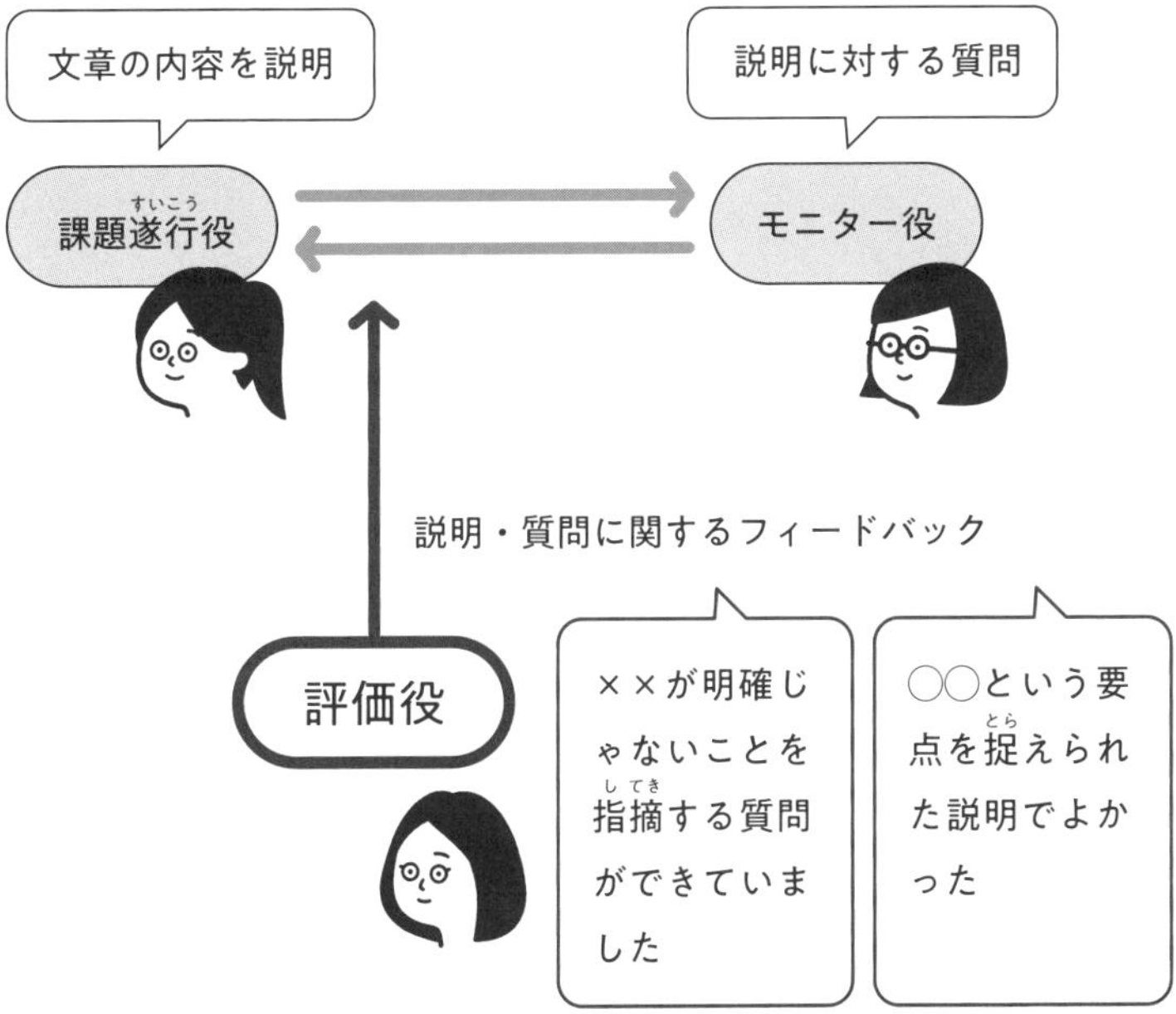

方略を練習する仲間としての友達

犬塚　もう一つは、読みの方略をうまく使えるようになるための練習をお友達とやってみる、というやり方です。

アヤ　ええと、たしか方略は「やり方」っていう意味でしたよね（第5章参照）。読むときにそういう工夫《くふう》をするということか。できるかな。

犬塚　直接メタ認知《にんち》に関わる方略もあります。例えば、「ときどき分かっているかをチェックするような質問を自分にする」という方略がありましたね（第5章参照）。こうした方略を使いながら読むことで、よりよく理解できるようになることが分かっています。でもあんまりみんな使わないんです……チェックの方略、役に立つのに……。

アヤ　先生、泣かないで……！　頑張《がんば》って練習しますから！　チェックの方略！

犬塚　あ、でも、チェックの方略だけじゃなくて、実は方略をうまく使えるようになるにはメタ認知《にんち》が重要なんですよ。

アヤ　立ち直り早いですね。そしてハードル上がった感じがするんですけど、どうい

うことでしょう?

犬塚 そうですね。どの方略もうまく使えば絶対役に立つんです。ですが、「いつ、どんなふうに、どの方略を使うか」、読むのが苦手な人にはピンとこなかったり、うまく使えなかったりします。

例えば、要点に線を引く、という方略では、あまり大事じゃないところに線を引いてしまったり、全部重要に思えて文章ほとんど全部に線を引いてしまったりします。

アヤ あ、こないだマコがそれやってました。ほとんど全部に線引くの。「どれも大事な気がしてきちゃってさあ」って言ってました。

犬塚 そうなんです。それで全部に線を引くとかえって混乱してしまったりして、「なんだ、線を引けっていうから引いたけど役に立たないじゃないか」って思ってしまったり。

アヤ マコ……先生にばれてるよ……。

犬塚 あ、でも「この方略は役に立たないようだ」っていうのもメタ認知《にんち》なんですよね。で、メタ認知《にんち》を働かせた結果、方略を使わなくなるっていう逆効果が発生してしまう。それを避《さ》けるためにはどうしたらいいかっていうことなんです。

アヤ　マコの場合は、二人で笑って「えーなんでこうなっちゃった?」って話してるうちに「自分は大事だと思ったけど、言われてみたらそんなに大事なポイントじゃなかったかも」って気が付いてました。あ、このときも「なんの話なのよー?」って私が質問して、マコがそれに説明してくれて。で、マコが説明しながら、「今、線引いたとこの半分しか使わなかったわ」って言ってたんで、二人で「無駄《むだ》な線多いなー」って笑ったんですよね。

犬塚　素晴《すば》らしい！　そういうやり取りって大事です。マコさんは方略を使う、その結果をチェックする、どうすればよいか次の策を考える、という3段階で方略の練習をしたということです（図8-3）。「方略の使い方」や「効き目」についてメタ認知《にんち》を働かせて、よりよい方略使用につなげる、というのは方略がうまく使えるようになるのに大変よい練習ですね。

アヤ　なるほど。でも方略たくさんありますよね。どれからやってみたらいいのかな。私自身があんまりやってないなあと思うのは、チェックの方略とか、知識の活用だから、このあたりを意識してやってみようかなあ。方略の練習はどういう順番だとうまくいくとかあるんですか?

図 8-3 方略使用の練習とメタ認知《にんち》

方略がうまく使えるようになるには、
メタ認知を働かせることがポイントになる。

犬塚　アヤさんのように「これはやっていなかったな」と思うものがあれば、その練習をしてみるとよいと思いますよ。

　どこから始めたらいいのか分からないなという人は、これは私の経験からの推測ですが、要点把握《はあく》方略（第5章参照）を使うことから始めるのがいいように思います。要点把握《はあく》方略を使いながら、「アレ？」と思ったときに明確化の方略を使う、ある程度読んだら、チェックの方略を使う、ということを意識して読んでみるとだいぶ読解力につながりますよ。

　お友達と一緒《いっしょ》にできるのであれば、それぞれが要約を作ってみて、「え？　そこって重要かな？」とか「ここは入れた方がよかった？」と話し合ってみるといいですね。「なかなか大事な箇所《かしょ》が絞《しぼ》れない、全部大事に見えてしまう」というときは、「一つの段落に一文しか残らないとしたらどこを残す？」というのを考えてみるとよいでしょう。お互《たが》いにだんだん要点が上手に把握《はあく》できるようになると思います。

アヤ　なるほど。「方略マスター」への道を友達と進むわけですね！

アヤのノート

○読解力を高めるには、分かっているかチェックする「メタ認《にん》知《ち》」が重要。だけどメタ認《にん》知《ち》はサボりがち

○メタ認《にん》知《ち》を鍛《きた》える練習が必要→友達に説明したり質問してもらったりするといい

○方略の練習も友達と一《いっ》緒《しょ》にやるとメタ認《にん》知《ち》が働きやすい

III

Part Three

「読む」だけが
読解じゃない

第9章　書いてあることは本当？

本当かどうか考えながら読む「批判的読解」

犬塚　みなさん勉強は順調ですか？　読む練習もしてるかな？

アヤ　先生こんにちは！　来てくれたんですね！　三人で頑張《がんば》ってますよ。でも今は……ちょっと揉《も》めてます。

マコ　なんか、ヨシキが違《ちが》うこと言い出すんだもん。読み間違《まちが》えてるんだと思うんですけど。

ヨシキ　いや、でもそう書いてあるんだって！

マコ　ヨシキの説明が間違《まちが》ってるんだよ、きっと。ちゃんと読んだの？

犬塚 どれどれ……ふむ。ヨシキさんの説明で合っているみたいですよ。

アヤ えー？ おかしいなあ。私が読んだのと違《ちが》う。あ、分かった！ きっとヨシキくんの読んだのがネットの記事だったからなんじゃない？ 私が読んだのはちゃんとした本だし！

ヨシキ またアヤはー。マンガのときのこと思い出せよー。本だからって偉《えら》いわけじゃないだろ！ ネットだっていいこと書いてあったりするって！ ……たぶん……。

犬塚 なるほど、アヤさんは「本に書いてあれば本当だけど、ネットに書いてあることは本当じゃないかもしれない」と考えているわけですね。ヨシキさんは「本にもネットにも本当のことが書いてある」という意見でいいのかな？

ヨシキ うん。まあそうですね。ネットが信頼《しんらい》できないってなったら調べ学習なんてできないですよ。

マコ うーん。私は「どっちも嘘《うそ》かも派」だな。

アヤ どういうこと？

マコ 分かんないけど、本もネットも色々じゃないかって思うんだよね。本当のことが書いてある本もあれば、嘘《うそ》を書いている本もありそうじゃない？ ネットも。

犬塚　今、三人はそれぞれ「本当」と「嘘《うそ》」という言葉を使ってましたけど、そもそも何が「本当」なんでしょう?　「本当」ってどういうことを言うのかな。逆に、「嘘《うそ》」っていうのはどういうことでしょう。

ヨシキ　なんか哲学的《てつがくてき》だなあ。実際にはなかったことを書いてないっていうのが「本当」なんじゃないかな。

犬塚　なるほど、では図9-1のような状況《じょうきょう》について書かれた次の新聞記事の表現を見て考えてみましょう。

賛成派が集まり横断幕やプラカードを掲《かか》げて法案の早期可決を訴《うった》えた。

これは「本当」でしょうか。

マコ　嘘《うそ》じゃないよね。確かに賛成のプラカードがあるし……でも反対派も多いのにそれを書いてないのは嘘《うそ》になるんじゃないかな。

ヨシキ　確かに。さっきは「なかったことが書かれてる」のが嘘《うそ》だって言ったけど、この場合は、マコが言ったみたいに、あったことが書いてないのも「嘘《うそ》」になる気がする。でもビミョウだなあ。嘘《うそ》をついたかっていうとついてないっていう気もするし。

アヤ　言ってないことはあるけど、ねつ造してるわけじゃないもんね。嘘《うそ》なのかな。

図 9-1　どう書けば「本当」になるのか

賛成派が集まり横断幕やプラカードを掲《かか》げて
法案の早期可決を訴《うった》えた。

本当なのかな。

犬塚　そうですね。嘘《うそ》と本当の境目がはっきりしないこともありますね。この図の場合、法案に対する賛成と反対が割れているようです。多くの人の生活にとって大きな意味を持つ法案なのだろうと推測できます。こういう場合には、ほかの人がどんなふうに考えているのか、今どんな状況《じょうきょう》なのかを正しく把握《はあく》したいですね。そう考えると、さっきの例文は「ほかの人の考え」や「今の状況《じょうきょう》」を正しく反映しているとは言えないようです。確かに「ありもしないことをねつ造したわけではない」というところから考えると「嘘《うそ》で

はない」と言えますが、「状況《じょうきょう》を正しく反映しているとは言えない」点からは「本当ではない」と言えるでしょう。

ヨシキ　本当でも嘘《うそ》でもないのかあ……。

犬塚　今みんなで考えたみたいに、「書いてあることをちゃんと理解する」っていうだけじゃなくて、「ここに書いてあるのは本当かな」と根拠《こんきょ》に照らして考えることを「批判的思考」と言います。また、そうやって考えながら読むことを「批判的読解」と呼ぶこともあります。これも大事な「読解」です。

ヨシキ　「批判的」なあ。「批判的」って、なんだか文句つけてるって感じがするなあ。もうちょっと優《やさ》しい気持ちで生きていたいと思うんですけど〜。

犬塚　確かに「批判」という言葉にはダメ出しをするという印象がありますね。でも「批判的思考」の「批判」というのは、ある基準や根拠《こんきょ》に基《もと》づいて判断することという意味です。なんにでも文句をつけるとか、ダメ出しするっていうことではないんですね。大事なのは、書いてあることをなんでも鵜呑《うの》みにしないで、自分の頭で考えて判断しよう、という考え方なんです。

アヤ　あんまり考えないで「なんだかイヤ！　気に入らない！」っていうとか、なん

でもかんでもダメっていうのは根拠《こんきょ》や基準がないから「批判的思考」とは言えないってことですね。確かに、なんにでもダメ出しするって実はあんまり考えてない証拠《しょうこ》なのかも。

批判的に読むための方略

アヤ 私は「批判的読解」苦手かも。本に書いてあると「へーそうなんだー」ってすぐにそのまま受け取っちゃう。

犬塚 重要なテーマについて読んでいるときには、意識的に批判的読解できるようになりたいですね。そのための方略をいくつか考えてみましょう。

ヨシキ 方略は「やり方」って意味だから「批判的読解の方略」は「批判的に考えながら読むやり方」ってことですね？

犬塚 その通りです。ここでは4つのポイントに分けて考えてみることにしましょう。

1 言葉の使われ方に注意する

犬塚 ではまずは、「本当」の基準を「状況《じょうきょう》を正しく反映しているかどうか」というふうに決めて、話を進めたいと思います。

マコ 待ってください。そんなふうに言葉の意味を勝手に決めちゃっていいのかな？「本当」の意味を勝手に変えるってなんかちょっと都合よくないですか？

犬塚 その疑問は非常に重要ですね。実はそれが批判的読解のための方略の一つ「言葉の使われ方に注意する」です。

アヤ どういうことですか？

犬塚 「本当」という普段《ふだん》から使っている言葉の意味が、都合よく変えられていないか、というのがマコさんの指摘《してき》でした。これは、「言葉の使われ方が適切か考える」という方略を使ったということです。

ヨシキ なるほどー。マコやるなあ！

犬塚 「言葉の使い方がおかしくないか考える」「言葉の意味が普通《ふつう》使っているような使い方から変えられていないか注意する」というように言《い》い換《か》えることもできますね。これは、重要な批判的読解の方略です。文章の中で、都合よく普通《ふつう》とは違《ちが》う言葉の使

い方をしたり、基準をずらして言葉の意味をさりげなく変えることで、その話題に対する読み手の印象や理解を変えてしまうことができます。

例えば、次のような調査報告書を見比べてみたとき、どのような印象を持ちますか？　特に線を引いた言葉に注目してください。

A　◎月×日発売の雑誌Healthy Lifeは、厚生《こうせい》労働省のレポートを引用したうえで、血液中のコレステロール濃度《のうど》を下げるためのサプリメントを紹介《しょうかい》し、朝200mlの水とともに◎◎サプリを摂取《せっしゅ》することでコレステロール値が低下するというねつ造記事を掲載《けいさい》している。

B　◎月×日発売の雑誌Healthy Lifeでは、厚生《こうせい》労働省のレポートを引用して血液中のコレステロール濃度《のうど》の低下が重要であることを指摘《してき》している。しかし、記事にはいくつか事実誤認《ごにん》があり、例えば、◎◎サプリの場合朝200mlの水とともにサプリメントを摂取《せっしゅ》することでコレステロール値が低下するとされているが、これは個人差が非常に大きく、万人《ばんにん》に有効とは言えないだろう。

アヤ A読んだら、「このHealthy Lifeっていう雑誌はとんでもない嘘《うそ》つき雑誌だな！」って思いました。でもBを読むとそんなに悪い雑誌じゃないのかも。

マコ まあ、でもどちらもこの雑誌に書いてあるようなサプリの効果はないって言ってるっていうのは同じだけどね。

ヨシキ 「言葉の使われ方に注意する」っていう方略で「ねつ造」と「事実誤認《ごにん》」に注意してみよう。確かにマコが言うように大筋では言ってることが同じだけど、「事実誤認《ごにん》」だと「わざとじゃないだろうけど調べが甘《あま》い」って感じになって、「ねつ造」っていうのは「わざとだまそうとしてる」ってことになるよね。この「言葉の使われ方」のせいで雑誌に対する印象がずいぶん変わるよなあ。

犬塚 ヨシキさんがさっき「批判的」というのはダメ出ししてる感じがするから、もっと優《やさ》しい気持ちで……って言ってましたけど、Aの記述を見て「Healthy Lifeっていう雑誌はダメだ！」ってすぐに判断するよりも、批判的読解の方略を使って「ねつ造って言うほど悪い記事だったのかな？」「もしかしたら事実誤認《ごにん》ということで、そんなに悪いわけじゃないのかも」と踏《ふ》みとどまる方が優《やさ》しい態度と言えるかもしれま

せん。批判的読解が必ずしもダメ出しに直結するわけじゃないということですね。

アヤ　なるほど。批判的思考をすることがむしろ広い心につながるみたいなこともあるわけですね！

2　省略と論理の飛躍《ひやく》に気を付ける

ヨシキ　さっきの例に戻《もど》るとさ、「厚生《こうせい》労働省のレポート」も気になるんだけどなあ。Aだと「厚生《こうせい》労働省のレポートでサプリが有効って書いてある」って感じだけど、Bだと「厚生《こうせい》労働省はコレステロール値が高くなりすぎるのは問題って書いてる」って感じがする。Healthy Lifeはどっちの書き方してたのかな。Bだったら普通《ふつう》じゃんって感じだけど、Aだと「厚生《こうせい》労働省がこう言ってるって嘘《うそ》もついてる」っていう感じがする。

犬塚　ヨシキさん鋭《するど》いですね。その通り。この二つの書き方を比べると、言葉だけじゃなくて、省略の仕方も違《ちが》っていますね。もし、Bの方が正確な記述だとすると……。

ヨシキ　Aは、「ねつ造」に続いて、Healthy Lifeっていう雑誌に悪い印象を植えようとして書かれてるってことになりますか？

マコ　なんか怖《こわ》いなあ……AはHealthy Lifeにどんな恨《うら》みがあるの……?

犬塚　恨《うら》みがあるかどうかは分かりませんが、書かないことが書くこと以上に意味があることもありますね。この場合は、どのようなレポートなのかを書かないことで、読み手が「この内容が書いてあったのかな」と勝手に補ってしまいます。読み手がつながりを作ろうとするのを逆手にとって、都合のいい方向に誘導《ゆうどう》していると言えるかもしれません。これは本当のことを伝えるという観点から考えると、「よい記述」とは言えなさそうですね。

一方で、無理やりつながりを作るような記述にも注意が必要です。次の文章だとどうでしょう。次の文を読んでどのくらい納得《なっとく》しますか?

① Aくんは陸上選手だ。だから泳ぐのも得意だろう。

② Cちゃんは眼鏡をかけている。きっと勉強熱心なんだろう。

ヨシキ　いや、これは納得《なっとく》しないな! なんで「だから」なんだよ! 泳ぐのと走るのは別問題!

マコ　あ、ヨシキ泳げないから……。それにしても確かに「だから」じゃないよね。

アヤ　②もおかしいと思うな。近眼って遺伝だし。

犬塚　その通り。何が〝だから〟なんだよ！　っていう感じですよね。こんなふうに、「つながらないところを無理やりつなげる」ことを「論理の飛躍《ひやく》」と呼んでいます。身近な例だと考えやすいですが、次の文ではどうでしょう。

③フランスの大学入試は長大な論文と口頭試問によって行われている。日本のような短答式の筆記試験がメインの入試というのは時代に合っていないのだ。より表現力やコミュニケーションが重視される入試に改革すべきだ。

アヤ　私はこれは「もっともだな」って思ってしまいました。

マコ　え、おかしいよ。なんでフランス式がいいってことになってるのか全然説明してないじゃん。なんでここから「日本は時代に合っていない」になるの？　私は納得《なっとく》しないなあ。

ヨシキ　これは前に出てきた「言葉の使われ方」も問題な気がするな。「改革」って言われると、「いいことに違《ちが》いない」みたいな気持ちになるけど、ここで入試を変更《へんこう》することが本当にいいことかどうか、説明されてないよね。

犬塚　マコさんが指摘《してき》したように、フランスはこうです、という例から、だから日本の入試が時代に合っていない、というところに論理の飛躍《ひやく》がありますね。アヤさんが

「もっともだな」って思ったのはなんででしょう？

アヤ　そういわれると……なんでなのかな。マコみたいには思わなくて、「フランスの方がなんかよさそう」っていう雰囲気《ふんいき》に流された気がします。ヨシキくんが言うように「改革」するのは無条件にいいことっていうイメージもあったかもしれない。

犬塚　短い文章ですが、その中に「ふわっといい感じのメッセージ」があると、論理の飛躍《ひやく》や省略、言葉の使われ方に対するチェックが甘《あま》くなるようですね。

3　ほかの情報と比べる

アヤ　でもさあ、さっきのHealthy Lifeの例だと、AとB二つを比較《ひかく》できたから、Aの書き方がもしかしたら良くないのかもって可能性に気が付いたけど、これ、Aだけ見てたら特に何も思わない可能性あるよね。

ヨシキ　うん。Healthy Lifeやばいな！　って思って終わりだったかも。

犬塚　そうですね。実は批判的読解のためには、複数の情報源を比べてみるというのは大変有効な方略です。そういえば、そもそもこの話を始めるきっかけは、ヨシキさんとアヤさんが読んだ内容に食《く》い違《ちが》いがあったことでしたよね？

マコ　そうそう、どっちが本当なのかなって。

アヤ　そうか！　じゃあ、食《く》い違《ちが》ってるのはいいことかもしれないんだ！

ヨシキ　なんでだよ？

アヤ　だって、食《く》い違《ちが》ってたら、「もしかしたらここは本当じゃないのかも」って分かるじゃん。

犬塚　そうですね。第8章の「メタ認知《にんち》」のところでお話ししたように、私たちは「分かったつもり」になりやすい。ですから、ちょっと言葉の使い方に問題があったり、省略があったりしても「そういうものかな。分かった分かった」とスルーしてしまいやすいんです。

でも、二つ明らかに違《ちが》うことが書いてあったらスルーするわけにはいかなくなりますよね。

マコ　逆に、いくつか読んでみて、全部に同じことが書いてあったら、たぶん本当だなって分かるってことか。

4 テキストの外にある知識との矛盾《むじゅん》を見つける

犬塚 テキストの中だけでなく、テキストの外に目を向けるというのが4つ目のポイントです。「テキスト」はひとまず「文章」のことだと考えてかまいません。まず、次の文章を「批判的に」読んでください。

1999年に出版された「水からの伝言」という本の中では、水の入ったボトルに「ありがとう」「ばかやろう」と書いた紙を貼《は》り付《つ》ける実験が紹介《しょうかい》されています。その結果、「ありがとう」ラベルのボトルの水からは美しい六角形の結晶《けっしょう》を撮影《さつえい》することができましたが、「ばかやろう」ラベルが貼《は》られた方のボトルの水からは美しい結晶《けっしょう》を撮影《さつえい》することができませんでした。ここから、水が人間の言葉に反応してその形を変えることが示唆《しさ》されます。私たちも言葉の持つ力を信じて、美しい言葉を使うべきでしょう。

マコ えー、これはすごいんじゃない？　実験の結果分かったって言ってるし、人間だけじゃなくて水にも心があるっていい話なんじゃない？　美しい言葉を使うべき

っていうのも「その通り」って感じじゃん。

アヤ　いや、それとこれとは別でしょう。それこそさっきやった「論理の飛躍《ひやく》」じゃん。なんで水の結晶《けっしょう》がきれいかどうかで言葉の良しあしが決まるのよ。

マコ　うう、でも、おばあちゃんが「ありがとうねって声かけるとお花がきれいに咲《さ》く」って言ってたし。

ヨシキ　水に言葉が分かるならもっとほかのところでもその違《ちが》いが発揮されていいだろ。沸点《ふってん》が下がって早く沸《わ》くとか、ちょっと酸性になるとかさ。人が主観的に見て「きれいかどうか」で判定されるっていうのも変だよな。

マコ　そう言われてみると、「ありがとうね」って声かけしなくてもきれいに咲《さ》くしな……。

ヨシキ　そうだろー？　きれいかどうかってちょっといい加減じゃん？

アヤ　あ、今ヨシキくんが言ったようなことが「テキストの外の知識」ってことかな？　テキストの中だけ見てるとＯＫみたいでも、なんていうか、常識的に考えたら「それはないな」っていう気持ちになるというか……。

犬塚　そうですね。今三人はテキストの中だけじゃなくて、「普通《ふつう》に」考えてそれは

表 9-1 三人の推論の中に含《ふく》まれている「テキストの外の知識」

水の性質	温度が低くなれば凍《こお》る、結晶《けっしょう》の形は温度や湿度《しつど》など様々な条件から影響《えいきょう》を受ける
一般的《いっぱんてき》な科学の法則	人間の決めた恣意的《しいてき》ルールに自然は従わない
情報の信頼性《しんらいせい》	これまでに蓄積《ちくせき》された「常識」の方が小規模な実験についての部分的な記述より信頼《しんらい》できる
経験	言葉かけをしなくても花はきれい
価値判断	結晶《けっしょう》の“美しさ”とは何か、それは重要な特徴《とくちょう》か

ない、というふうに判断したわけですね。「普通《ふつう》に」の中には色々な知識が含《ふく》まれてます。水の性質に関すること、一般的《いっぱんてき》な科学の法則、情報の信頼性《しんらいせい》、経験、価値判断……。

書いてあることの「中」を批判的に読むことも大事ですが、それだけではなくて、書いてあることが「外」の世界の情報と矛盾《むじゅん》しないか考えてみるのも大事なことなんですね（表9－1）。

ヨシキ　でも、この例だと、自分たちでも知っているような常識と矛盾《むじゅん》するって分かったんですけど、もうちょっと専門的な話だったりすると、流されちゃうかもしれないなあ。すでにマコ

はちょっと危なかったし。

マコ うん、なんか最後の結論が「いいじゃん」って感じだったから、そこまでもOKにしちゃったのかも。

犬塚 そうですね。一つ前の入試改革の文章もそうでしたが、結論が「いい感じ」だと、その部分は外の世界の情報と一致《いっち》してしまうので、それまでに書かれていることも「まあいいか」で流されてしまいそうになりますが、そうならないように、丁寧《ていねい》に読むことが重要です。

もう一つ重要な点として、ヨシキさんが指摘《してき》した「知識」の役割が挙げられます。その領域についてよく知っている人ほど批判的読解に使える情報をより多く持っているので、より適切に批判的読解ができると考えられるんです。

マコ 例えば医学的なトピックなら医学に詳《くわ》しい人、医学者、お医者さんってことですか？

犬塚 はい。その領域の中の常識、例えば医学なら「人間の体はこんなふうな原則で働く」という知識がありますから、その原則を破るような話に対しては「なんだか疑わしいぞ」と判断を保留できるかもしれません。

また、特に科学的なトピックについては、研究方法に関する知識も重要です。「その実験では信用できないな」とか「そういう調査をしたのならそれは信じてもよさそうだ」といった判断をするには実験や調査の知識が必要でしょう。

さっきの「水に言葉が伝わるか」という文章について、ヨシキさんは「きれいかどうか」という基準を使うことの問題点を指《し》摘《てき》していましたね。これは、内容についての批判というより「なぜ恣《し》意《い》的《てき》な基準を選ぶのか」という方法についての批判でした。

マコ　あれは説得力あったわ。

ヨシキ　これまで「読解力」と、そういう理系っぽい知識は関係ないのかなって思ってたんですけど、自分たちの身の回りにある色々な文章を読むことを考えたら、結構理系の知識って必要かもしれないですね。

犬塚　その通りです。読む文章によって「あるとうれしい知識」は違《ちが》ってきますから、理系がいいとか文系がいいとか言うことはできません。でも、文章の中には、理系の知識があるとよりよく批判的読解ができるようになるものも少なくないです。

アヤ　読むって「本に書いてあることを『ちゃんと』受け取ること」だって思ってたんですけど、書いてあることを自分で考えて判断したり、自分が知っていることと比

べてみたりして、「納得《なっとく》しないこと」「判断を保留すると決めること」も大事な読解なんですね。

マコのノート

○書いてあることが正しいとは限らない。自分で考える批判的読解が大事！

○批判的読解のための方略のポイントは次の4つ

①言葉が都合よく使われていないか

②省略や論理の飛躍《ひやく》で誘導《ゆうどう》されていないか

③ほかの本と比べてみよう

④自分の知っていることと比べてみよう

第10章　先入観はなくせる？

先入観が理解を邪魔《じゃま》する

アヤ　マコはさあ、もうちょっと先入観捨てなきゃダメだって！

マコ　えー？　でも、先生は「知っていることとつなげることが大事です！」って言ってたよ！

アヤ　先生ー！　助けてくださいよー

犬塚　知っていることとつなげることは大事ですよ。そうしないと頭に残らないですから。

マコ　そうそう、記《き》憶《おく》の仕組みがそうなってるんだよ。

アヤ　もう、偉《えら》そうだなあ。私だって知ってるよ。トップダウンの理解プロセスって習ったもん。

でも、疑問に思ったんだけど、間違《まちが》った知識とか、実は関係ないことと結び付けちゃったらどうなるんだろう。それは「理解してつなげた」って言えるのかな？

犬塚　先入観の種類が違《ちが》うということになりますね。普通《ふつう》、「先入観」というと凝《こ》り固《かた》まった意見というイメージで語られますが、もう少し広く考えると、もともとの知識や信念というふうに表現できます。これが、文章を読むときの枠組《わくぐ》みとして働くわけですね。

結論から言うと、どんな知識や信念を読むときの枠組《わくぐ》みとするか、ということは大変重要で、それによって理解が変わることもあります。つまり、どんな先入観を持っているかは理解に影響《えいきょう》するということになります。適切な知識の枠組《わくぐ》みを使えないときには、よく理解できない、あるいは間違《まちが》った理解をすることもあります。少し古い研究ですが、ひとつ実験（図10－1）を紹介《しょうかい》しましょう。

まず、実験参加者を二つのグループに分けます。どちらのグループにも同じ文章を読んでもらいます。ですが、文章を読む前に、その文章についての前置き文を読んで

図 10-1 前置き文を使った実験(大村ら、1980をもとに作成)

A グループ

前置き文
発明は若いメンバー間に広まり、続いて新しい世代に。発明は集団の伝統的な生活を変化させる。

B グループ

前置き文
人間による干渉《かんしょう》は動物の生活を変えてしまう。しかし、年長の動物は影響《えいきょう》されず、古い習慣を守る。

↓

題材文(要約)
研究者がサルに餌《え》付《づ》けを行ったところ、サルの生活が変わってきた。若いサルがえさのサツマイモを水につけて砂粒《すなつぶ》を落とす方法を発明した。この発明は若いメンバーに広まり、新しい世代にも受け継《つ》がれた。また、この発明により、サルは泳ぐというさらに新しい行動も獲得《かくとく》した。

↓

記憶の再生
「読んだ内容をできるだけ思い出してください」

もらいます。この文章を二つのグループで違《ちが》うものにします。

マコ　なんで前置き文を使った実験？　先入観の影響《えいきょう》の話じゃないんですか？

犬塚　もともと持っている先入観は人それぞれなので、その影響《えいきょう》を見ようとするとどんな先入観がどんなふうに影響《えいきょう》したのか分からなくなってしまいます。そこで、知らない話題、つまりもともと先入観を持っていないトピックを使って、わざわざ前置き文で先入観になるような枠組《わくぐ》みを提示するんです。

アヤ　なるほど、そうすれば、「いい枠組《わくぐ》み、適切な知識につなげた場合」と「あんまりよくない枠組《わくぐ》み、不適切な知識につなげた場合」が作り出せるってことですね。頭いいなあ。

マコ　ふむ。どちらの前置き文も間違《まちが》いではないですね。

アヤ　でも、文章の内容的にはAグループの前置き文の方が合ってる気がするなあ。

マコ　私もそう思う。別に人間の干渉《かんしょう》っていうのがメインじゃないもんね。

犬塚　実験では、題材文を読んだ後で、どんなことが書いてあったか思い出して答えてもらいました。すると、それぞれのグループの前置き文に関係のある情報をたくさん憶《おぼ》えていたことが分かりました。例えば「二歳《さい》のメスがサツマイモを水につけて砂《すな》

粒《つぶ》を洗い落とした」とか「若いサルの方が、先にこの新しい方法をまねし、いもを洗うようになった」といった部分はAグループがよく憶《おぼ》えていて、「日本モンキーセンターの研究者たちが、サツマイモをばらまいた」とか「数匹《すうひき》の年長のサルは古い習慣を守り続けた」といった部分はBグループの方がよく憶《おぼ》えていたんです。

マコ　ということは、この実験をやった人が作った先入観の枠組《わくぐ》みに合ってる方をよく憶《おぼ》えてたってことですね。

アヤ　Aグループの人の方が要点をよく憶《おぼ》えてたってことですよね。Bグループの人は、あんまり適切じゃない先入観だったから、ちょっと的外れなところをよく憶《おぼ》えてしまったということ……?

犬塚　こういう、その後の内容を少し抽象的《ちゅうしょうてき》に表した前置き文のことを「先行オーガナイザー」と呼びます。適切な先行オーガナイザーが文章をよりよく理解する手助けになることは強調したいですね。これは、読むときだけじゃなくてスピーチしたりするときも同じなんですが、ちょっと広い視野から、これからどういう話をしますよ、ということを示しておいて、それから話したり読ませたりすることで、相手がよりよく分かってくれるので、大変役に立ちます。例えば、「何気ないきっかけで人生が変

わってしまうことがあります」という前置き文があったら、読み手はその後のストーリーの中から「何気ないきっかけ」に当たるものや「人生の変化」を読み取ろうという姿勢で読むようになります。

しかし、こうした先行オーガナイザーの働きは適切な場合に限定されるものではないということが実験から分かりますね。適切でない先行オーガナイザーが示された場合も、その枠組《わくぐ》みに合うところに注目させてしまうから、結果的に理解が的外れになってしまう。

アヤ ということは、「よい先入観」と「悪い先入観」があって、「悪い先入観」はない方がいいってことだよね？

犬塚 そうですね、アヤさんの言うように「悪い先入観」はない方がいいです。でも、「よい先入観」と「悪い先入観」を区別するのは難しいということと、普通《ふつう》私たちは「自分がこんな先入観を持っているぞ」と意識していないというのが問題になります。

マコ それって「メタ認知《にんち》」……？

犬塚 そうです。なかなか「私はこういう先入観を持っている」というメタ認知《にんち》は働きにくいです。さっきは実験で先行オーガナイザーを示すことで、人工的に先入観に

当たるものを作ったわけですが、先入観の多くは自然と経験の中で身につけられたものです。自然と身につけて当たり前だと思っていることはなかなか意識できないですよね。

アヤ 確かに、当たり前だと思っていることは先入観だって思わないかも。

犬塚 特に人間はある種の「考え方のクセ」のようなものを持っているので、それをなくすのはなかなか難しいんです。

人間の考え方のクセ

マコ 考え方のクセってどういうことですか?

犬塚 色々なクセがありますが、ここでは二つ紹介《しょうかい》しましょう。

1 「普《ふ》通《つう》こうでしょ」という枠《わく》組《ぐ》み

犬塚 まず、次の文章を読んでみてください。

スミス医師はアメリカのコロラド州立病院に勤務する優秀《ゆうしゅう》な外科医《げかい》だ。仕事中は常に冷静沈着《ちんちゃく》で、周囲の人々からも信頼《しんらい》されている。スミス医師が夜勤をしていたある日、救急外来の電話が鳴った。救急車が人を搬送《はんそう》するので手術を依《い》頼《らい》したいという。父親が息子《むすこ》と一緒《いっしょ》にドライブしていたときに、高速道路で事故に遭《あ》い、父親は死亡、子どもは助かったものの重体だという。しばらくしてその重体の子どもが病院に運《はこ》び込《こ》まれたが、その子どもを見たスミス医師は驚《おどろ》き、茫然《ぼうぜん》とした。その子どもはスミス医師の息子《むすこ》だったのだ。

スミス医師と事故に遭《あ》った親子の関係は？

（滑田、2019をもとに作成）

マコ　これは、おかしいですよ。父親と息子《むすこ》が事故に遭《あ》ったんでしょ？　スミス医師が親ってどういうことですか？　矛盾《むじゅん》してませんか？

犬塚　いえ、矛盾《むじゅん》はしていないんです。

アヤ　え、私もマコと同じように考えてたんだけど……あ、分かった！　子どもはスミス医師と別れた妻の間の子なんじゃない？　それならつじつまが合うよ！

犬塚 不正解です。そんなに複雑な話ではないです。そんなことどこにも書いてないですよね。

アヤ うーん。

マコ もしかして……お母さん？

犬塚 マコさん、正解です！

マコ そうかー！　てっきり父親だと思ってた。これも先入観ですね。

アヤ ？　どういうこと？

犬塚 二人がこの文章を読んで初めに想像した「スミス医師」は男性だったのではありませんか？　外科医《げかい》とは書いてあるけど、どこにも男性だとは書いてないのですが、なんとなく、「バリバリ仕事している外科医《げかい》」というのは男性だろうと思ってしまったのだと考えられます。実際に、外科医《げかい》の性別は男性の方が多いということもありそうですが、私たちはなんとなく「こういう職業の人は男性」とか「女性がする仕事っぽい」などと思《おも》い込《こ》んでいるところがあります。

アヤ 言われてみれば、外科医《げかい》だからって男性っていうのはおかしいですね。でも「普通《ふつう》」男性だと思っちゃったんですよね。

犬塚　人間の認知《にんち》にとって、「普通《ふつう》こういう感じだ」という知識があることは、実は大変重要です。「ピクニックに行くよ」と言われたら、昼間に食べるものを持ってどこか自然の多いところに数名で行くのだろうな、と想像しますよね？　ピクニックは「普通《ふつう》そういう感じ」ですから。ここで、「集合は夜8時ね」と言われたら「エッ？」と驚《おどろ》きますし、「行き先はスカイツリー」と言われたら「そんなところでピクニックはできない」と思うでしょう。

こういうような、○○はこのようなものだ、という知識を「スキーマ」と呼んでいます。スキーマというのは「枠組《わくぐ》み」という意味で、私たちが日常生活の中で見聞きする物事の枠組《わくぐ》みに関する知識を表しています。

マコ　「学校」スキーマとかもありそう。そこにいる人はこんな人たちで、こんな場所で、こういう一日のスケジュールで動いてる、みたいな一連の知識がありますよね。

犬塚　そうですね。だから「80歳《さい》の中学生」と聞くとびっくりしますし、お昼ご飯の前に生徒は全員帰宅すると言われたら「どうなっているのかしら」と不審《ふしん》に思うでしょう。それもスキーマに合わないからです。

アヤ　スキーマが大事なのはどうしてですか？　さっきの例だと、むしろない方がよ

さそうだけど……。

犬塚 実際の物事には色々なバリエーションがありうるので、そうしたバリエーションをすべて同じように捉《とら》えるというのがスキーマのない状態、まったく先入観のない状態だと言えます。しかしその場合、「今話題になっているピクニックはどのような活動なのか」を一から説明しないとならなくなります。ですが、スキーマがあれば、みんなが「普通《ふつう》こういう感じでしょ」というふうに思っているところは説明がいらなくなります。説明する人も説明を受ける側も、その方がラクになりますよね。スキーマがあって、それを多くの人が共有することで、私たちのコミュニケーションがスムーズになっていて、そこに頭を使わなくて済む分、ほかのことを考えたりできます。

マコ 節約した労力でさらに先のことを考えられるってわけですね！

アヤ 私、分かった！「外科医《げかい》というのは普通《ふつう》こういう感じだ」というのもスキーマなんだよ。私もマコもそのスキーマを使って考えたから分からなかったんだ！

犬塚 そうです。お話ししたように、スキーマは私たちが効率的に物事を捉《とら》えたり考えたりするために必要なものなので、その意味で「よい先入観」になります。ですが、さっきの「外科医《げかい》」のようにそこから外れたものを認識《にんしき》しにくくなるという弱点を考

えると、「悪い先入観」だともいえるでしょう。スキーマは文脈によって「よい先入観」にも「悪い先入観」にもなるのです。

マコ でも、ダメなスキーマもありそう。さっきの「外科医《げかい》と言えば普通《ふつう》は男の人」というのは、ちょっと時代遅《おく》れというか、あんまりいいスキーマじゃないなと思ったんですけど。

犬塚 重要な指摘《してき》です。「外科医《げかい》は普通《ふつう》男性だ」というような「決めつけ」につながるようなスキーマのことを特に「ステレオタイプ」とも言います。人種や国籍《こくせき》、宗教、職業、性別などから「きっとこうに違《ちが》いない」と決めつけるのは典型的なステレオタイプですね。

アヤ ああ、それ聞いて前にやっちゃった失敗を思い出しました。見るからに外国人っぽい見た目の人がいてね、その人に「日本語上手ですね」って言っちゃったの。でもその人、日本生まれの日本育ちで日本語しかできないんだって……もう私恥《は》ずかしくてさあ……。

マコ ああ、それは確かに恥《は》ずかしい……。けど、アヤの気持ちも分かる……。

犬塚 「日本語を話すのは普通《ふつう》こういう人」とか「日本人なら普通《ふつう》こういう見た目」

というステレオタイプがあったということですね。

アヤ そのときはなんでこんなに恥《は》ずかしい気持ちになったんだろうって分からなかったんだけど、自分がそういう決めつけ、ステレオタイプを持っていたっていうことが恥《は》ずかしかったんだなあって、話していて思いました。外科医《げかい》は男性っていうのもステレオタイプだし、日本人の見た目っていうのもステレオタイプですよね。ステレオタイプがあることは、自分の理解を妨《さまた》げるし、恥《は》ずかしいし、相手に失礼、なんですね。改めて反省……。

犬塚 スキーマが先入観の一つであるということ、スキーマは基本的に便利で役に立つものだけど、その中にはときどき理解を邪魔《じゃま》する悪いのもあって、その代表がステレオタイプ、ということですね。悪いスキーマ、ステレオタイプはなくしたいけど、なかなか自分では気が付きにくい、というのが難しいですね。気が付いたところから少しずつステレオタイプをなくすようにしていきたいですね。

2 「仮説を支持するもの」に注目してしまう傾向《けいこう》

犬塚 次にお話しするのは、人は「自分の考えを支持するもの」に注目してしまう、

という考え方のクセです。

典型的には「確証バイアス」というのが知られています。「確証」はここでは確認《かくにん》するということ、「バイアス」というのは偏《かたよ》りという意味なので、「確認《かくにん》する方向に人間の考え方が偏《かたよ》っている」という意味です。

「こうに違《ちが》いない」と考えていることがあると、その考えに反するような事実が提示されてもそれを無視しやすく、その考えを支持するような事実には「ほらね！」と注目しやすくなる傾向《けいこう》を示しています。

マコ　そんなことありますか？　ちょっといい加減すぎませんか？

犬塚　マコさん、血液型と性格の関連ってあると思いますか？

マコ　え？　急に血液型？　そうですね。結構当たると思います。私はO型なんですけど、自分で言うのもなんですけどリーダータイプっていうか、おおらかだし。よく人にも「O型っぽい」って言われますし。やっぱり体の中にある物質だから、性格にもなんか関係あるんじゃないかな？

アヤ　私はB型なんだよね。

マコ　え？　意外！　でも言われてみれば、妙《みょう》におおざっぱっていうか、気にしない

ところあるよね？　案外遅刻《ちこく》してきたりするし。そういうところはB型だからだね、きっと。

犬塚　はい、今のが確証バイアスです。

マコ　え？　今のって？　なんですか？

犬塚　マコさんは、「血液型と性格には関係ある」という意見だったので、色々あるアヤさんの性格的特徴《とくちょう》のうちから「B型のイメージに当てはまるもの」に注目して、「なるほどやっぱりね」と納得《なっとく》したわけです。アヤさんの性格にはB型のイメージに当てはまらない特徴《とくちょう》も色々あるのに、そこには注目しないで、当てはまるところにだけ目を向けていましたね（図10－2）。

アヤ　確かに。マコは確証バイアス強いかも。こないだも「占《うらな》いで今日の運勢は100%だった」って喜んでて、そのあと「こんないいことが！」っていくつも数え上げてたけど、普段《ふだん》は忘れない宿題忘れてたり、水たまりに足突《つ》っ込《こ》んだりした「運が悪い出来事」はまったくカウントしてなかったよね。

犬塚　確証バイアスのいい例ですね。「幸運のペンダントをなくしてしまった。悪いことが起こるに違《ちが》いない」と考えていると、悪いことばかりに注意が向くようになっ

図 10-2 人は「自分の考えを支持するもの」に注目する

色々ある特徴の中から、
自分の「考え」にあてはまるものだけ選んでしまう。

て「やっぱり幸運のペンダントをなくしたからだ！」と考える例もあります。

マコ た、確かにそうかもしれないけど、それが読んで理解することとどう関係あるんですか！

犬塚 実験をもう一つ紹介《しょうかい》しますね（Lordら, 1979）。今度は「自分の意見」がはっきりある人たちに実験に参加してもらいました。読んでもらった文章のテーマは「死刑《しけい》制度の是非《ぜひ》について」です。参加者には、死刑《しけい》制度に反対の意見の人、賛成の意見の人両方がいました。どちらの意見を持った人にとっても、「自分の意見を支持する根拠《こんきょ》」と「自分の意見とは矛盾《むじゅん》する根拠《こんきょ》」の両方が書かれた文章を提示しました。文章を読んだあと、実験に参加した人たちの意見はどうなったと思いますか？

アヤ 難しいなあ。支持する根拠《こんきょ》と矛盾《むじゅん》する根拠《こんきょ》の両方があるんですよね？ 支持する根拠《こんきょ》の方が大事だと思ったら意見は変えないだろうけど、矛盾《むじゅん》する根拠《こんきょ》の方が大事だと思ったら意見を変えるはず。うーん、でもさっきの「確証バイアス」的には、矛盾《むじゅん》するのは無視するのかなあ？

犬塚 実は、この実験の結果、もともと反対の意見の人は「この文章には死刑《しけい》制度が良くないということがよく分析《ぶんせき》されていた」と評価して、賛成意見の人は「この文章

を読んで、死刑《しけい》制度が必要なことがよく分かった」というふうにどちらも自分の意見が正しかったと再確認《かくにん》する傾向《けいこう》があったんです。

マコ　矛盾《むじゅん》する根拠《こんきょ》の方はどうなっちゃったんですか？

犬塚　そこが面白《おもしろ》いところです。反対意見の人は反対意見を支持する記述を信用する一方で、文章中の死刑《しけい》制度の有効性についての記述については「考察が足りない」「根拠《こんきょ》不足」といった批判をしていました。賛成意見の人も同じように、自分の意見に合うかどうかで記述の評価を変えていたんです。

アヤ　無視しているというのとはちょっと違《ちが》うんですね。

犬塚　はい。単に「支持しない意見に注目しない」ということとも少し違《ちが》うようですね。どちらの立場の人も、自分の意見に反する記述の批判を非常に的確にできていたというのも面白《おもしろ》いところです。

マコ　テキトーに読んでるってことじゃないってことですか。

犬塚　きちんと読んで理解している、ただしその理解の仕方は事前の自分の意見を支持するかどうかで異なる、ということになりますね。自分の意見は先入観の代表的なものの一つですが、それがかなり強力なもので、人間はそれを維持《いじ》できるようにかな

り頑張《がんば》ってしまうことが分かります。

アヤ　マコ、先入観をなくせって言ったけど、なくせないね、これは。そしてそんなこと言ってた私自身にもステレオタイプもあるし、自分の意見が強い方だから、そういう先入観もいっぱいありそう。

マコ　いや、私の確証バイアスもかなりのものだったよね。なんか、人間の考えるクセって厄介《やっかい》だね。

犬塚　読解場面でも、自分には先入観なんてない！　と油断するのはよくないですね。特に、自分の暮らしや仕事に関わる重要なテーマについて読むときには、「今のところ自分はどういう考えか」「これについて自分が持っていそうなステレオタイプは？」というふうに一歩立ち止まることも重要ですね。

アヤのノート

○事前の知識の枠《わく》組《ぐ》みによって理解の仕方が変わる……先入観もその一つ！

○人間の「●●はこういうもの」という知識をスキーマという。スキーマは考えたりコミュニケーションしたりするのを助けてくれるが、決めつけになるような悪いスキーマ（ステレオタイプ）もあるから注意

○自分の意見を支持するかどうかで読み方を変えてしまうこともあるから、自分がどう思っているか、じっくり見つめなおすことも必要

第11章　主観は排《はい》して読まねばならない!?

ついつい気持ちが入ってしまう

ヨシキ　先生、この本頑張《がんば》って読みました！　歴史は苦手だなと思ってたんですけど、方略使って「攻略《こうりゃく》してやるー！」って思って読んだらまあまあ行けました。

犬塚　面白《おもしろ》いアプローチですね。方略使う練習もできたみたいで良かったです。

ヨシキ　自分の場合は、「ここは大事だぞ！」っていうところに線を引いたりメモしたりするのが良かったと思います。ただ考えるだけだとすぐにしなくなっちゃうんだけど、線引いたり書《か》き込《こ》んだりすると、「やったぜ！」ってなるし、あとから読み返したときに線引いたところたどっていくとどんな内容だったか思い出しやすい気がした

な。

犬塚　なるほど、確かにそうですね。自分がつけた印を次に読むときの手がかりにしていくわけですね。

ヨシキ　でも、自分で気が付いたんですけど、どうも「大事なところ」だけじゃなくて、「たいして大事じゃないんだけど気に入ったところ」とか「たいして大事じゃないんだけどウケたところ」にも線引いちゃうんですよね。これはダメですよねぇ。

犬塚　ふむ。なんでダメだと思ったんでしょう?

ヨシキ　え、だって、読むときはやっぱり客観的に読まないと。感情に動かされて大事なところを見誤ったらダメじゃないですか?

犬塚　確かに、面白《おもしろ》いエピソードばっかり追いかけてたら、本筋を見失うことはありそうですね。これは、マンガについての議論（第6章）とも関連しますが、「未知の内容について学ぶ際には、共感や親しみのような感情的なことに流されずに、分析的《ぶんせきてき》に読むことが重要である」と指摘《してき》する研究もあります（外山、１９８１）。

ですが、私は、読むときに客観だけでなくて主観をうまく使うことも、やはり大事ではないかと思っています。

ヨシキ　本当ですか？　先生がそう思うだけじゃないの？

犬塚　確かに、説明的文章を読むときに感情や直感がどのように役に立つか、という点についての詳細《しょうさい》な研究はあまり見られません。ですが、読み方について解説する本の中にはたくさん「直感を活《い》かす」という観点が示されていますよ。

　例えば、教育学者の齋藤孝先生は「三色ボールペン」を使って、大事なところは赤、まあ大事というところは青、面白《おもしろ》いと思ったところは緑の3点から色分けして線を引いてみることを勧《すす》めています（齋藤、2002）。

ヨシキ　色分けするんですね。確かに、すごく大事だっていうところとまあ大事っていうところと両方とも印つけておきたくなってほぼ1ページ線引いちゃったみたいなことあるんで、その中でも特にどこが大事か考えるのはいいかもしれない。あと、「面《おも》白《しろ》いところ」を使えるのがいいですね！　色を変えれば区別できるから、ここは「感情に動かされているところ」だって分かります。

犬塚　「面白《おもしろ》い」だけじゃなくて、もっと色々な感情が湧《わ》いてくることもありますよね。そのへんを、もうちょっと区別して印をつけるやり方としては、哲学者の戸田山和久先生が直感を活《い》かした「タグ付け」を提案していますね（戸田山、2002）。タグ付けと

表 11-1 直感を活《い》かしたタグ付け（戸田山、2002をもとに作成）

ハゲドウ	激しく同意！　自分もそう思う
メウロコ	目からうろこが落ちました！　知らなかった。勉強になった
ナツイカ	納得《なっとく》いかない。なんか違《ちが》う気がするぞ
ハゲパツ	激しく反発！　絶対に間違《まちが》ってると思う

いうのは、読んでいるときに感じたことによって文章に印（タグ）を付けていくという読み方です（表11－1）。

ヨシキ　へえ。このタグ付けは面白《おもしろ》いですね。「面白《おもしろ》いと思ったところ」は自分の場合「知らなかったなあ」「そうなんだ！」っていう気持ちで線を引いてるな。これはタグ付けで言うと「メウロコ」なのかな。でも、「ナツイカ」とか「ハゲパツ」はあんまり考えたことなかったなあ。

犬塚　批判的読解のところでは、「根拠《こんきょ》を持って判断する」という話をしましたが、実はその前段階に「ナツイカ」のような「うまく言葉では表現できないけど、なんかちょっとおかしい気がするなあ」というよう

な直感が働いていることも多いのではないかと思います。「ハゲパツ」は自分のこだわりのあるトピックなどで登場しやすいのではないかな。

ヨシキ　確かに、自分にこだわりがなければ強く反発はしなさそうです。ふうんって感じで流してしまいそう。これは先入観とも関係ありそうな気がするけど、どうですか？

犬塚　そうですね。こだわりがあるというのは、そのトピックについて何らかの意見や信念があるということですから、その先入観と文章の内容が一致《いっち》しないときに「ハゲパツ」が起こりやすいかもしれません。

ヨシキ　でも、いいのかなあ、根拠《こんきょ》なく「納得《なっとく》いかない」とか言って。著者に怒《おこ》られそう。

犬塚　そりゃ、ずっと「納得《なっとく》いかない！　根拠《こんきょ》は直感！」って言い続けてたら怒《おこ》られますよ。客観的に読むことを重視する人も、おそらくそうやって「根拠《こんきょ》は直感」のままで終わることを心配しているのではないかな。

　大事なのは、その「納得《なっとく》いかない」という直感のあとに「なぜ自分は納得《なっとく》いかないと思うのか」「どういう根拠《こんきょ》があるのか」というふうに考えを深めることです。これ

は主観を足がかりに、理解を深めるチャンスです。「こういう理由で納得《なっとく》いかない」と言えるように考えを深めていければ、著者も喜んでくれると思います（図11－1）。考えているうちに「なんか著者の言い方が偉《えら》そうに感じただけだな」とか「自分が

図 11-1　主観を足がかりに客観的に読む

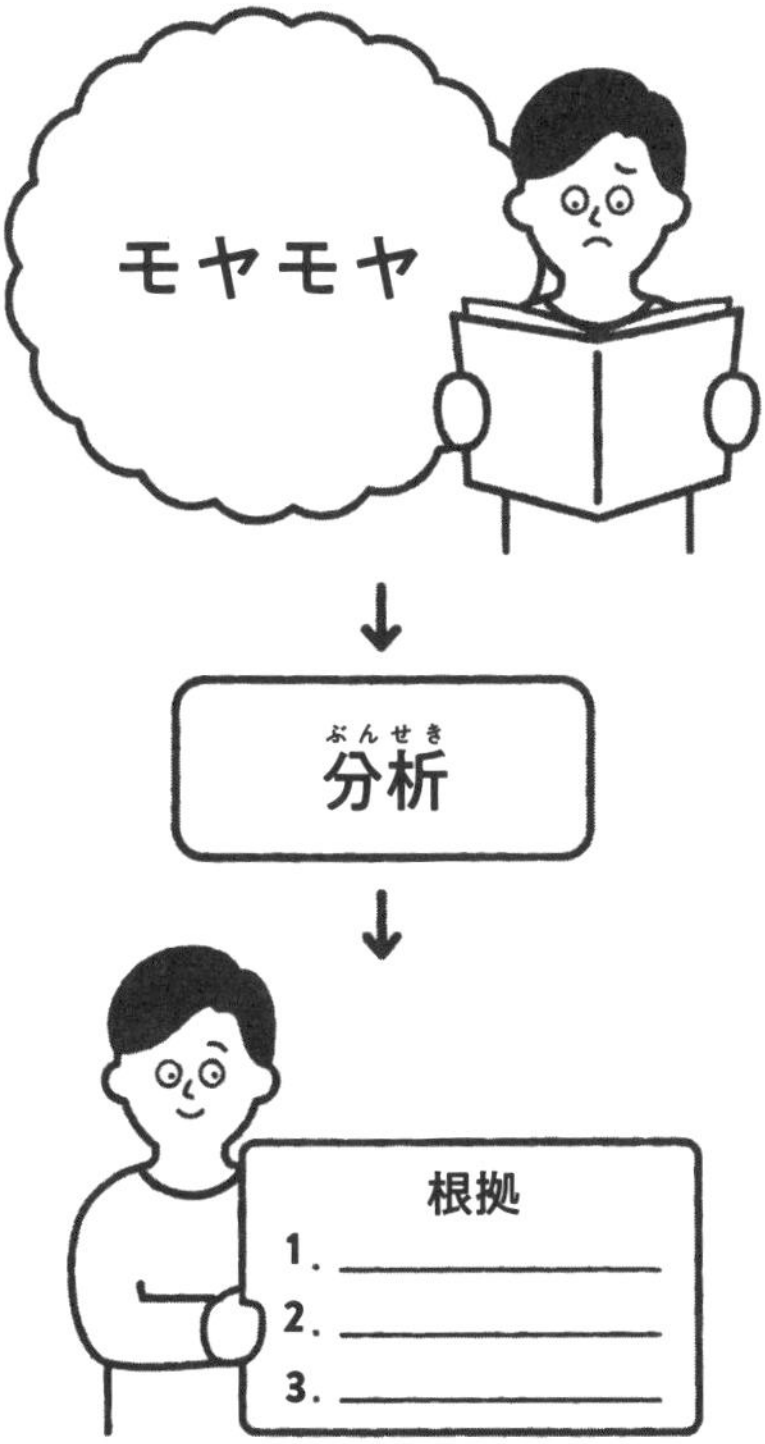

直感を分析《ぶんせき》することで
論理的・客観的な理解につなげよう。

馬鹿《ばか》にされたように感じたんだな」という感じで「結局根拠《こんきょ》はなかった」ということに気が付くかもしれません。その場合は、著者の言いたいことを改めて理解しようとできますね。

こう考えると、客観的な根拠《こんきょ》が示せる場合も示せない場合も、ひとまず自分の主観を大事にして、「なんでイヤって思ったんだろう」と分析《ぶんせき》していくことにはメリットが多いのではないかと思います。

ヨシキ　なるほど、読んだときの直感で終わるんじゃないってところがポイントなんですね？　そこから深めることができるかどうかがカギになるんだ。

直感を活《い》かして考える

1　複数の資料を読む

ヨシキ　そうなると、直感をどう深めていくかっていうのが大事ですよね。うーん。同じことについての別の本を読んでみる、とかかな？

犬塚　そうですね、新たに別の本や資料を読んでみるのは、自分の主観を分析《ぶんせき》するの

に役に立ちますね。これは、自分に十分な知識がないというときに特に重要じゃないかな。「批判的読解」についてお話ししたときにも「別の本や資料との共通点や違《ちが》いをきっかけに気が付く」ということがありましたね。それと同じように、自分が「なんだか納得《なっとく》いかないなあ」「絶対違《ちが》う！」という直感がどこから来るのか、どのような根拠《こんきょ》がありそうか、別の本を持ってきて比べてみると明確になるでしょう。

ヨシキ　別の資料には「ハゲドウ」のアイデアが書いてあるかもしれないってことですね！

犬塚　はい。同じように「納得《なっとく》いかない」内容だとしても、違《ちが》う資料は違《ちが》う観点から書かれていることが多いでしょう。そこから、「ああ自分の納得《なっとく》いかなさの原因はこれだったんだな」と分かることもあります。よりよい説明が書かれていれば、「納得《なっとく》いかないと思ったけど、そういうことか。なるほど分かったぞ」と改めて納得《なっとく》するかもしれません。

ヨシキ　そうか。そうやって考えてみると、調べ学習の宿題が出たときに、一冊の本とか一つのウェブサイトだけを頼《たよ》りにするのはよくないですね。

犬塚　そうですね。一つだけの本や資料に頼《たよ》ることの弱点は次の二つにまとめられま

す。

①その資料の観点や立場の偏《かたよ》りに気が付きにくい

②納得《なっとく》いかないところや説明不足のところが補われない

こうした弱点を補うには、調べたいことや理解したいことについて複数の資料を読んでみることが有効に働きますね。

ヨシキ　問題は「どれを読めばいいか」じゃないですか？　調べ学習のときも、とりあえずキーワードを検索《けんさく》して、初めの方に出てきたのをいくつか読んでみて、分かりやすい感じのを読むって感じなんですけど。読む本とか資料をちゃんと選ぶにはどうしたらいいのかな。

犬塚　そういうときに役に立つのが、「参考文献《ぶんけん》」や「引用文献《ぶんけん》」のページ、そして図書館の司書さんです！

ヨシキ　参考文献《ぶんけん》って、本の後ろの方に書いてあるリストのこと？

犬塚　はい、引用文献《ぶんけん》は「紹介《しょうかい》した内容がどこに書いてあったか」という元情報です。本の中で、実験や調査、アイデアを誰《だれ》かがほかのところに書いているものについて、いつ・誰《だれ》が・なんというタイトルで発表したのかが「引用文献《ぶんけん》」として示されていま

す。例えば実験について書かれているのを読んだときに、もっと詳《くわ》しく知りたいという場合があると思います。実験の概要《がいよう》だけは書いてあるけど、参加した人はどんな人だったのかな？　とかアンケートの具体的な項目《こうもく》はどんなのかな？　とか知りたいときがありますよね。そういうときは、引用文献《ぶんけん》に書いてある文献《ぶんけん》を読んでみると、そうした詳《くわ》しい情報が分かります。

一方、参考文献《ぶんけん》は「その内容を書くにあたって著者が参考にした資料」のことです。ですから、文章内容全体にわたって関連しているとか、著者がアイデアを生み出すことの基盤《きばん》となったような資料が示されています。こちらは、ピンポイントで知りたいことが書いてあるというより、その資料の根本的な考え方を知りたいという場合に役に立ちます。

ヨシキ　具体的に紹介《しょうかい》されているものについては引用文献《ぶんけん》、全体的な背景とか前提知識を知りたいときは参考文献《ぶんけん》を見るとよい、みたいな感じですか？

犬塚　はい。引用文献《ぶんけん》の場合は、普通《ふつう》本文中に番号が振《ふ》られていたり、その文献《ぶんけん》の著者名や発行年が書かれていますから、それを手がかりにしてリストを見ると、お目当ての資料がどういうものかを見つけられます。

ヨシキ　へえー。ウェブサイトでも同じかな……？　あ、本当だ。番号があって、最後に一覧になってますね。うーん、でも先生、今見てたら英語ばっかりなんですけど……日本語で読めるやつはないってことなんですか？

犬塚　調べている内容によっては、英語をはじめとした外国語の文献《ぶんけん》がたくさん並んでいるときもありますよね。そういうときは、図書館に行って助けてもらいましょう！

ヨシキ　図書館に行くと助けてもらえるんですか？

犬塚　はい、英語しかなかった場合だけじゃなくて、参考文献《ぶんけん》がいっぱいあってどれが自分の知りたいことに一番近いのか分からない、とか、そもそも参考文献《ぶんけん》が分からないということがありますよね。そうした「知りたいことがあるんだけどそれはどの資料を読めば分かるのか分からない」状況《じょうきょう》を助けてくれるのが、図書館の司書による「レファレンス・サービス」です。

　図書館の司書は、実は調べもののエキスパートです。「こういう内容のことが知りたいんだけど、どういう本がありますか？」と質問すると、「このあたりの棚《たな》が関係ありますよ」と教えてくれます。

ヨシキ 司書さんって図書館で仕事してる人たちのことですよね？　本の整理とか貸し出しの仕事しかしてないんだと思ってました。そうか。調べもののエキスパートか。カッコいいですね！

犬塚 もちろん、内容によってはすぐには分からない場合もあります。時間がかかったり、ほかの図書館に尋《たず》ねたりする必要がある場合もあるでしょう。ですが、「何を読めばいいのか分からない、困ったなあ」というときに、図書館司書を頼《たよ》るというのはとてもよい方法の一つです。

そのほかにも、本によっては、「読書案内」のような形で、もっと知りたい人はこういう本を読むといいですよ、という著者からのお勧《すす》め本リストがついていることもあります。そこから別の資料を探してみるのもいいですね。

2　インプットのためのアウトプット

犬塚 自分の主観を分析《ぶんせき》する方法として、もう一つお勧《すす》めしたいのが「アウトプットする」ということです。

ヨシキ アウトプットっていうと、インプットの反対、だから、自分で表現する、みた

いなことですか？　作文書くとか、レポートにするとかそういう感じですか？　プレゼンもそうかな？

犬塚　ヨシキさんが挙げてくれた作文やレポート、プレゼンというのは、アウトプットの中でも結構「フォーマル」なものですね。成果として人に見せることが前提のアウトプットだと言えるでしょう。これも大事なアウトプットです。でも、もう少し「インフォーマル」なアウトプットも考えられて、それが読解に使えます。

ヨシキ　インフォーマルなアウトプット？　例えばどんなことですか？

犬塚　本を読んで、友達に「こんなことが分かったよ」とか「ちょっと納《なっ》得《とく》いかないんだよね」と話す、というような、比《ひ》較《かく》的《てき》日常的なやり取りを思《おも》い浮《う》かべてみてください。特に、自分が疑問に思うことや分からないことをほかの人と話し合うというのは、インフォーマルなアウトプットの中でも重要ですね。

ヨシキ　あ、そういえばこの前の調べ学習プロジェクトのときに、インフォーマルなアウトプットがありました。アヤが「この本には、応《おう》仁《にん》の乱の原因はコレ！　って書いてあるんだけど、おかしくない？」とか言ってきて議論になっちゃったんです。結局アヤが言ってたみたいに理由は一つじゃないってことが分かってきたんだけど、あれ

もアヤが「おかしい気がする」って言わなかったらたどり着かなかったです。

犬塚 アヤさんが「ナツイカ」を表明したことでみんなの理解が深まったんですね。こうしたインフォーマルなアウトプットが促進《そくしん》されるというのが、グループで学習することの利点の一つだと思います。

もしかすると「おかしくない？」って言った段階ではアヤさんにも、「なぜ自分はおかしいと思うのか」ははっきりしていなかったかもしれませんね。ヨシキさんたちに「おかしい」という説明をするために考えたり、頭の中を整理したりしているうちに、おかしいという主観を生み出した理由が分かってきたのではないでしょうか。

ヨシキ うん。そういえば、アヤ、話しながら「あー分かってきた！」とかしきりに言ってましたね……。こっちはよく分かんなかったんですけど、アヤの中では整理されてきたってことですね。なるほど、そういうことか……。

犬塚 「読むこと」は代表的なインプットの作業で、ついついそのインプットの部分にだけ注目してしまうのですが、記憶《きおく》や理解という頭の中の仕組みを通じて、「書くこと」や「話すこと」といったアウトプットの作業と関連しているんですよね。インプットをうまくしたいときに、アウトプットすることはとても大事なんです。

ヨシキ　アウトプットするのは、ちゃんと分かってからじゃないとダメっていう感じもするんですが……。

犬塚　そりゃ、人前に出て説明します、というアウトプットだったら、ちゃんと分かってからやってほしいですよね。でも、理解したい、インプットしたい情報があるときに、理解途中《とちゅう》であっても、そこまでで分かったことや逆に分からないことをアウトプットすることで、情報が整理されたり、検討しなおしたりできます。

ヨシキ　なんとなく分かるんだけど、なんでアウトプットするといいんだろう。

犬塚　アウトプットすることで、理解状況《じょうきょう》が自分やほかの人に「見える」ようになることがよいのではないかと思います。

ヨシキ　あ、メタ認知《にんち》……？

犬塚　そうですね、メタ認知《にんち》も関係あります。アウトプットして見えるようにしたら、矛盾《むじゅん》や一貫性《いっかんせい》のないところがよく分かりますよね。

それから、アウトプットしてみることが、自分の理解表象をよりよく作りなおす機会になるとも考えられます。なんなら、アウトプットする相手がいなくても大丈夫《だいじょうぶ》です。

ヨシキ　相手なし？　どういうことですか？

犬塚 「自分で自分に説明」でも効果があることが分かっているんです。これを「自己説明」といいますが、自己説明の効果を検討した研究（Chi ら, 1994）では、自分で自分に説明しながら読んでね、と指示した学生と、よく理解してねとだけ言われた学生を比べたら、自分で自分に説明しながら読んだ学生の方が、内容をよりよく理解できていることが示されています。これは「自己説明」を通して、自分の理解表象を見なおして作りなおすことができたからだと考えられます。

ヨシキ なるほど、自分の頭の中のモヤモヤを取り出して、広げてみることで、「ここが足りないんだな」とか「ここがつながらないんだな」って見えやすくなるってことですね。

犬塚 はい。普通《ふつう》アウトプットはインプットしたことの成果として位置づけられますが、インプットのためのアウトプットをすることで、自分の頭の中が整理できますね。このアウトプットの効果は、「ナツイカ」や「ハゲパツ」を分析《ぶんせき》するためにも有効ですよ。

ヨシキのノート

- 基本は客観的に分析的《ぶんせきてき》に読むこと。でも主観もヒントになる
- 主観だけじゃダメなので、分析《ぶんせき》する。そのために……
  - ほかの資料や本を読む（何を読んだらいいか分からないときは、図書館に行って聞いてみるとよい）
  - インフォーマルなアウトプットをする

第12章　結局のところ読解力ってなに？

色々な読解力

アヤ　勉強になったなあ。読むってことについて結構知らないことがたくさんあって驚《おどろ》きました。私、読むっていうのは「誰《だれ》かが言ってる正しいことを頭に入れる」ことだと思ってたんだけど、そんな簡単じゃなかったっていうのが一番印象に残ってるな。

マコ　そう。「つなげることが大事！」でしたよね。

犬塚　その通りです。ぼんやり文字を目で追って「頭に入らないなあ」ってなるのは、言ってみれば当然なんですよね。一生懸命《いっしょうけんめい》自分でつなげていく、というのが読むということなんです。

マコ　私は、「読んでいるのが正しいかどうか自分で考える」っていうのが印象に残ってる。結構ウェブの記事とか読むんだけど、そういうときに簡単に納得《なっとく》しちゃダメだなって思いました。

ヨシキ　分かる。「本に書いてあるんだから」って終わりにしないで、いったん立ち止まって、ほかの本読むとか、知ってることと比べるとかして考えるってことが、まあ面倒《めんどう》だけど大事っていうのは、ＹｏｕＴｕｂｅ派の自分にも響《ひび》きました〜。

犬塚　そうですね。読むものが本や雑誌のような「紙媒体《ばいたい》」に限定されていた時代と比べると、インターネットが普及《ふきゅう》した現代は、そうした批判的読解ができるかどうかがとても大事です。いろんな人がいろんな情報を発信できてしまうので……。

アヤ　不確実な内容とか、間違《まちが》った内容でも「ちゃんとした感じ」で読めてしまうってことですね。

マコ　昔だったら「怪《あや》しげな噂話《うわさばなし》」だったような内容でも、それっぽくネットにあげられちゃうんだもんね。めんどくさがらないで考えないといけないですね。

「読解力」をつける

犬塚 そうですね。読んだ内容について自分で考えて、評価することができるか、それをインターネットの記事でも発揮できるか、ということも大事な読解力として捉《とら》えられるようになってきました。

アヤ え？　そうなんですか？

犬塚 はい、第5章でも紹介《しょうかい》した「ＯＥＣＤ生徒の学習到達度《とうたつど》調査」、ＰＩＳＡ（ピザ）という学力調査が有名です。その問題の一例を見てみましょう（図12－1）。

アヤ 確かにあんまり「読解力」って感じじゃないですね。

マコ 私は断然ソフィア派だな！

ヨシキ だから、それは置いといて、どっちの方が「よい手紙」かってことだろ？　どっちが好きかって言われたら、オレもソフィアの方だけど、手紙の書き方っていう意味ではヘルガなんじゃないかな。

アヤ 私もそう思うなあ。ソフィアは洋服の例が良くないんじゃないかな。誰《だれ》かのも

図 12-1 PISA問題例「落書き」（国立教育政策研究所、2009）

落書き

学校の壁の落書きに頭に来ています。壁から落書きを消して塗り直すのは、今度が4度目だからです。創造力という点では見上げたものだけれど、社会に余分な損失を負担させないで、自分を表現する方法を探すべきです。

禁じられている場所に落書きするという、若い人たちの評価を落とすようなことを、なぜするのでしょう。プロの芸術家は、通りに絵をつるしたりなんかしないで、正式な場所に展示して、金銭的援助を求め、名声を獲得するのではないでしょうか。

わたしの考えでは、建物やフェンス、公園のベンチは、それ自体がすでに芸術作品です。落書きでそうした建築物を台なしにするというのは、ほんとに悲しいことです。それだけではなくて、落書きという手段は、オゾン層を破壊します。そうした「芸術作品」は、そのたびに消されてしまうのに、この犯罪的な芸術家たちはなぜ落書きをして困らせるのか、本当に私は理解できません。

ヘルガ

十人十色。人の好みなんてさまざまです。世の中はコミュニケーションと広告であふれています。企業のロゴ、お店の看板、通りに面した大きくて目ざわりなポスター。こういうのは許されるでしょうか。そう、大抵は許されます。では、落書きは許されますか。許せるという人もいれば、許せないという人もいます。

落書きのための代金はだれが払うのでしょう。だれが最後に広告の代金を払うのでしょう。その通り、消費者です。

看板を立てた人は、あなたに許可を求めましたか。求めていません。それでは、落書きをする人は許可を求めなければいけませんか。これは単に、コミュニケーションの問題ではないでしょうか。あなた自身の名前も、非行少年グループの名前も、通りで見かける大きな製作物も、一種のコミュニケーションではないかしら。

数年前に店で見かけた、しま模様やチェックの柄の洋服はどうでしょう。それにスキーウェアも。そうした洋服の模様や色は、花模様が描かれたコンクリートの壁をそっくりそのまま真似たものです。そうした模様や色は受け入れられ、高く評価されているのに、それと同じスタイルの落書きが不愉快とみなされているなんて、笑ってしまいます。

芸術多難の時代です。

ソフィア

出典：Mari Hankala.

落書きに関する問

どちらの手紙に賛成するかは別として、あなたの意見では、どちらの手紙がよい手紙だと思いますか。片方あるいは両方の手紙の書き方にふれながら、あなたの答えを説明してください。

のに勝手に何か描《えが》くっていうのと、自分が好きなものを身につけるって同じじゃないもんね。

犬塚　これは、どちらが正解ということではなくて、書いてあることを使って考えることができるかということを見てる問題なんですね。だから、アヤさんのように「この部分がこういう理由でよくない」というふうに、自分の「よい文章」についての知識を使って説明できるということが大事です。

　もちろんＰＩＳＡの問題はもっと基本的な読解力、例えば、スムーズに読めるか、書いてある内容をきちんと要約できるか、ということを測る部分もあります。でもそれだけじゃない読解力があるっていうことは大事ですね。

マコ　インターネット問題もあるんですか？

犬塚　こんな問題がありますよ（図12－2）。

ヨシキ　あ、これ楽しそう！

マコ　うん、私も読みたい！

犬塚　ちょっと見にくいかもしれませんが、この問題では資料が複数用意されているんです。

図 12-2 PISA2018 ラパヌイ島の問題（国立教育政策研究所、2018）

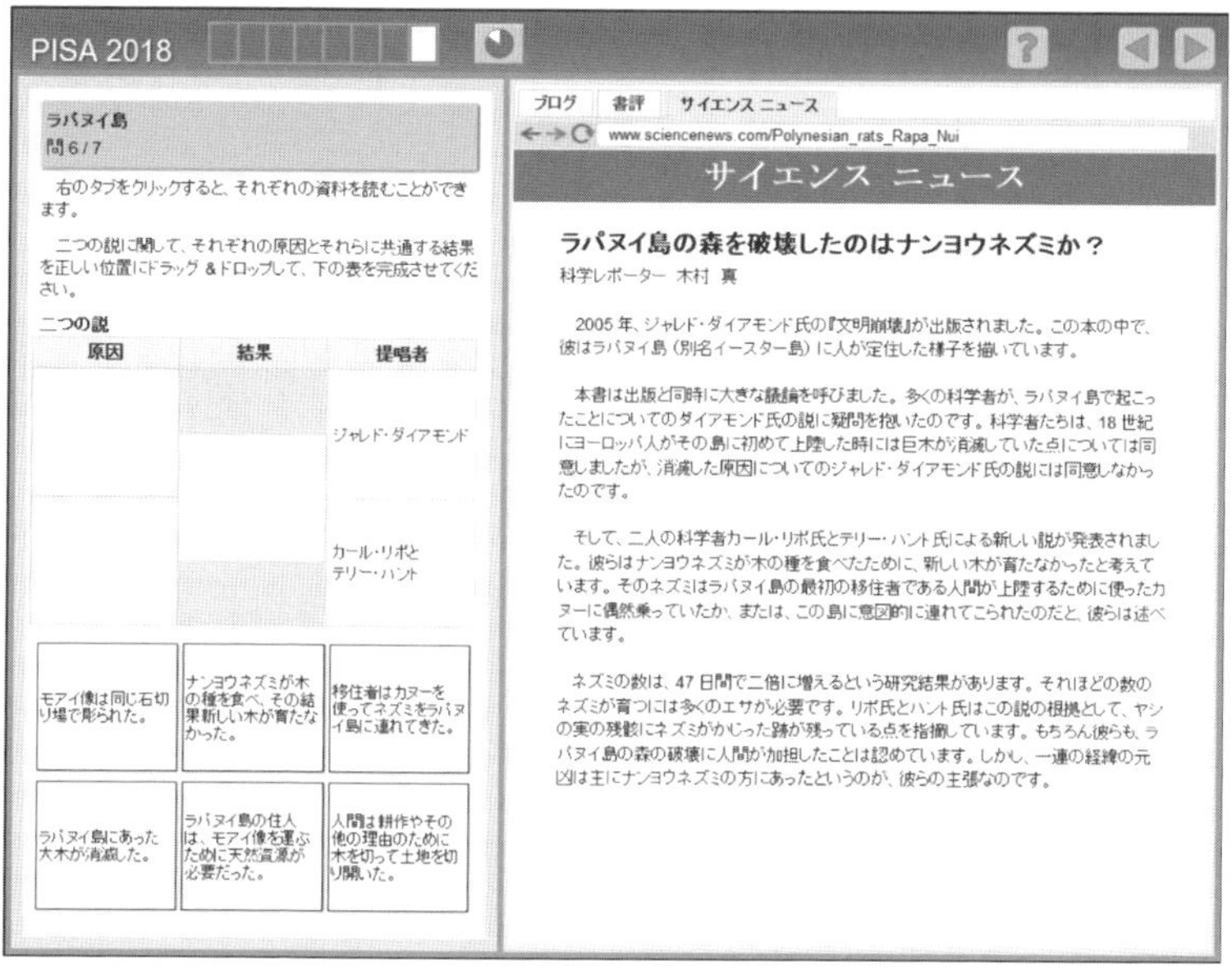

アヤ あ、ほんとだ、ええと「ブログ」と「書評」と「サイエンスニュース」があるんですね。

犬塚 はい。タイプの違《ちが》う複数の資料を使って情報をまとめたり、それを比較《ひかく》して考えたりということも「読解力」ですよ、ということですね。

マコ うう、そう考えると大変そう。成績は発表されるんですか？

犬塚 ＰＩＳＡはあくまで調査で、試験ではないので、個別に成績が返されたり発表されたりすることはありません。色々な国の15歳《さい》を対象に実施《じっし》されていて、成績が国別の順位として発表されるので、それが話題になったりしますね。

ヨシキ 日本は何位くらいなんですか？

犬塚 ２０１８年の調査では、79か国中15位でした。前の調査が２０１５年にあったのですが、それに比べて低下したということでずいぶん話題になりました。

ヨシキ えっ低下してるんだ？　ヤバイじゃないですか！

犬塚 まあ、大きなトレンドとしては「現状維持《いじ》」なのですが、それで十分かと言われると課題もありますね。

マコ 課題って？

犬塚 はい、さっきお話ししたように、ＰＩＳＡではいくつか異なるタイプの読解力を測っています。
その中でも、書いてある内容をきちんと理解するタイプの問題は、日本の生徒たちの成績がいいんです。一方で、さっきの「落書き問題」のように、書いてあることをもとに考えたり評価したりする問題になると、正答率が低くなってしまうんです。

マコ ああ、なんか分かる気がします。どう思いますかって言われたときに、自分の直感っていうか主観だけじゃなくて、理由をちゃんと文章の中から示すっていうのが結構ハードル高い感じがする。

ヨシキ あ、直感で終わっちゃダメっていう話、ありましたね。

犬塚 ありましたね。さっきの「落書き問題」でマコさんが「ソフィア派だな！」と言ったのは……。

マコ 直感だけだったかも。なんか好きだ！ みたいな。

犬塚 そこからスタートするのは間違《まちが》いではありません。でも、単に「そういう感じが好き」なのか「言っている内容に説得力がある」と思ったのか、をちゃんと見極《みきわ》めるのが読解には重要です。ＰＩＳＡでも、単に「そういう感じが好き」という直感じ

やなくて、「こうやって考えたからこっちの方がいいんだ」と説明できるかどうかが問われているんですね。

読解力を高める

ヨシキ 友達と読むのがいいよっていうところでも、「説明する」っていうのが出てきましたよね。そうそう、「相互《そうご》説明」。説明って読解方略なのかな？ 読解力自体なのかな？

犬塚 説明するためには、「頭の中に筋の通った表象が作られている」ことが必要になりますね。途切《とぎ》れたり、ほかとつながっていないことはうまく説明できないんじゃないでしょうか。

マコ 確かに。説明するっていうときは「アレがこうなってこうなるから、ソレがああなる」みたいにつながりを示すってことになるね。

犬塚 そうそう。「アレ」と「ソレ」の間がどんなふうにつながるのかが分かっていないと説明はなかなかできません。そういう観点からは、説明は「理解できているか

どうかの指標」になります。でも、そういうふうに「筋の通った表象が作れているかどうか」は自分では分かりにくい。

アヤ あ、メタ認知《にんち》だ。すぐに分かったつもりになっちゃうんですよね。筋が通ってないのに通ってると思《おも》い込《こ》むっていうことがあるから……。

マコ あ、そうか、そこで「説明」してみれば、筋が通ってないところが分かるってことになりますね！

犬塚 素晴《すば》らしい！　その通りです。「説明」を通して自分の理解表象のつながりのなさに気が付くことができるので、そのときの「説明」は「理解を促進《そくしん》するための方略」ということになります。

ヨシキ そうか、説明は「理解度」を示すものでもあるし、「読解方略」でもあるんですね。いろんな方略があるけど、それを使いながら読んでみて、ヨシ、と思ったら説明してみる、とテストで「説明しなさい」って言われたときもできる！　……いいじゃん。行ける気がしてきた。

マコ 私も行ける気がしてきたよ！

アヤ ねえ、それ、メタ認知《にんち》が働いてないんじゃ……。

犬塚　しー！　アヤさん、人は、「自分はできない」と思うものにはヤル気が湧《わ》きません。「頑張《がんば》ればできる！」という気持ちがヤル気の維持《いじ》には大切です。

アヤ　確かに。じゃあ二人の気持ちはそのままに、楽しく一緒《いっしょ》に色々読んでみることにします！

犬塚　そう、なんだかんだ言って、「楽しく」というのが一番大事！　読むことが苦行にならないように、楽しく頑張《がんば》る工夫《くふう》をしていきたいですね。ここは大人の頑張《がんば》りも必要かもしれません。「読解力をつけろ」「いいから読め」「要約しろ」と課題をどんどん出す千本ノックのようなやり方だと、その課題はできるようになるかもしれませんが、その後、「新しい知識を本から身につけたい」という気持ちが湧《わ》いてきません。読んだら新しいことが分かった、友達と本を読むのが楽しい、という気持ちを大事にしたいですね。

おわりに

この本は、なんでみんな「読解力をつけろ」「読解力が大事だ」って言うんですかね。ほんとに読解力なんているの？　と思っている人のための本です。

あ、でも、「読んで分かるってどういうことなのかな？」とか、「人間の頭の働きって不思議だな」と思っている人にも楽しんでもらえるんじゃないかな。

「読む」ことは「分かる」とか「知」というもっと大きなことにつながっています。私が読むことに特にこだわるのは、読むことが「分かる」につながるから。「分かる」というのは自分の知らなかった世界を拓《ひら》いていくことだと思うからです。まあ、読まなくても生きていけるかもしれないけど、読むことを通して自分の知らない「得意」や「好き」「やりたい」を見つけられたら、もっと楽しく生きていけるでしょう。読むこと以外にもテレビとかＹｏｕＴｕｂｅとか、世界を広げてくれるものはほかにも色々ありますが、「読む」ものの世界の広さに比べると、まだまだだと思うのです。

こんなふうに思う人は私だけではないから、みんな「読解力が大事」って言うんで

すよね、きっと。

読解力を高めるにはどうしたらいいのか、ということをテーマにした本は実はとてもたくさんあります。なかでも、本書でも言及《げんきゅう》した外山滋比古《とやましげひこ》先生の『「読み」の整理学』、心理学者が書いたものでは西林克彦《にしばやしかつひこ》先生の『わかったつもり』、秋田喜代美先生の『読む心・書く心』は、単なるハウツーやテクニックではなく、「分かる」とはどういうことなのか、という知の本質に迫《せま》り、それを実践《じっせん》することの意味や難しさを教えてくれるオススメ本です。

……しかし、そういう素晴《すば》らしい本がたくさんあるのに、なぜ、私ごときが、改めて読解力についての本を書くのか。そんな必要あるのか？　やばい。色んな人に怒《おこ》られそう……。

そんなふうに心配しながらも、手に取りやすくて、少し気楽に読めて、「読むことって面白《おもしろ》いな」とか「自分もやってみようかな」という気持ちになれる、読むことの入り口になるような本があるといいな、と考えてこの本を書いてみました。どうだろう、みんなの入り口になったでしょうか。

最後に、未熟な私の挑戦《ちょうせん》を支えてくださった皆《みな》さんにお礼を申し上げたいと思いま

す。

きっかけを与《あた》え、常に叱咤激励《しったげきれい》してくださった笠間書院編集の山口さん。どんな本にしたいか五里霧中《ごりむちゅう》の私にアイデアをくださった編集長の村尾さん。おしゃれで分かりやすいイラストを書いてくださったイラストレーターの松本セイジさん。皆《みな》さんと一緒《いっしょ》にお仕事できて光栄でした。また、新井紀子先生にはＡＩの読み方について貴重なコメントを頂きました。

本書に紹介《しょうかい》したエピソードや例文には、研究室の学生さんからもアイデアをいただきました。みんなどうもありがとう。

そして、ヨレヨレしている私を応援《おうえん》し、ときに原稿《げんこう》にダメ出ししてくれた夫と子どもたち。この本の登場人物は三人の似ているところを取り出して考えました。勝手にごめん。

皆《みな》さんのおかげで完成しました。本当にありがとうございました。

２０２０年４月　犬塚美輪

第 7 章

Hartley, J.. *Designing Instructional Text.* London: Routlegde, 1994.

Larkin, J. H. and Simon, H. A.. "Why a Diagram is (Sometimes) Worth Ten Thousand Words." *Cognitive Science* 11 no.1 (1987) : 65-99.

Mayer,R.E.Multimedia Learning (Second Edition) ;New York:Combridge University Press,2009

第 8 章

清河幸子・犬塚美輪「相互説明による読解の個別指導：対象レベル－メタレベルの分業による協同の指導場面への適用」『教育心理学研究』51、2003 年、218-229 頁。

Markman, E. M.. "Realizing That You Don't Understand: Elementary School Children's Awareness of Inconsistencies." *Child Development* 50 no.3 (1979) : 643-655.

Nelson, T. O. and Narens, L.. "Why investigate metacognition?" In *Metacognition : Knowing about Knowing*, edited by Metcalfe, J. and Shimamura, A. P., 1-25. Cambridge: MIT Press, 1994.

第 9 章

Ennis, R. H.. "A logical basis for measuring critical thinking skills." *Educational Leadership* 43, no.2 (1985) : 44-48.

井上尚美『思考力育成への方略―メタ認知・自己学習・言語論理』明治図書出版、1998 年。

楠見孝「批判的思考と高次リテラシー」(市川伸一［ほか］編『現代の認知心理学 3　思考と言語』北大路書房、2010 年、134-160 頁)。

第 10 章

Lord, C.G., Ross, L., and Lepper, M. R.. "Biased assimilation and attitude polarization: The effects of prior theories on subsequently considered evidence." *Journal of Personality and Social Psychology* 37, no.11 (1979) : 2098-2109.

滑田明暢「文化心理学×自己」(木戸彩恵・サトウタツヤ編『文化心理学＝ Cultural psychology：理論・各論・方法論』ちとせプレス、2019 年、127-138 頁)。

大村彰道・樋口一辰・久慈洋子「先行オーガナイザーの適切・不適切が文章再生に及ぼす影響」『日本教育心理学会総会発表論文集』22 (1980)、50-51 頁。

第 11 章

Chi, M. T. H., De Leeuw, N., Chiu, M. H., and LaVancher, C.. "Eliciting self-explanations improves understanding." *Cognitive Science* 18, no.3 (1994) : 439-477.

戸田山和久『論文の教室：レポートから卒論まで』日本放送出版協会、2002 年。

外山滋比古『読書の方法：未知を読む』講談社、1981 年。

齋藤孝『三色ボールペンで読む日本語』角川書店、2002 年。

第 12 章

経済協力開発機構 (OECD) 編著、国立教育政策研究所監訳『PISA (ピザ) の問題できるかな？ OECD 生徒の学習到達度調査』明石書店、2010 年。

国立教育政策研究所「OECD 生徒の学習到達度調査 (PISA) ～ 2018 年調査問題例～：コンピュータ使用型読解力問題」2018 年。(Accessed 2020.1.10) https://www.nier.go.jp/kokusai/pisa/pdf/2018/04_example.pdf

国立教育政策研究所「OECD 生徒の学習到達度調査～ PISA 調査問題例～」2009 年。(Accessed 2020.1.10) https://www.mext.go.jp/component/a_menu/education/detail/__icsFiles/afieldfile/2010/12/07/1284443_02.pdf

OECD. "PISA 2018 Assessment and Analytical Framework." (Accessed 2019.11.15) http://www.oecd.org/education/pisa-2018-assessment-and-analytical-framework-b25efab8-en.htm

引用・参考文献

第1章

新井紀子『AI vs. 教科書が読めない子どもたち』東洋経済新報社、2018 年。

文部科学省『小学校学習指導要領解説 平成 29 年告示』2017 年。（Accessed 2020.1.10）https://www.mext.go.jp/content/1413522_001.pdf

佐藤浩一『学習支援のツボ：認知心理学者が教室で考えたこと』北大路書房、2014 年、87-104 頁。

Thorndyke, P. W.. "Cognitive structures in comprehension and memory of narrative discourse." *Cognitive Psychology* 9, no.1 (1977) : 77-110.

第2章

Bransford, J. D. and Johnson, M. K.. "Contextual Prerequisites for Understanding: Some Investigations of Comprehension and Recall." *Journal of Verbal Learning and Verbal Behavior* 11, no.6 (1972) : 717-726.

Britton, B. K. and Gülgöz, S.. "Using Kintsch's computational model to improve instructional text: Effects of repairing inference calls on recall and cognitive structures." *Journal of Educational Psychology* 83, no.3 (1991) : 329-345.

Kintsch, W.. *Comprehension: A paradigm for Cognition.* New York: Cambridge University Press, 1998.

品川裕香『怠けてなんかない！：ディスレクシア～読む・書く・記憶するのが困難な LD の子どもたち』岩崎書店、2003 年。

第3章

Atkinson, R. C. and Shiffrin, R. M.. "Human memory: A proposed system and its control processes." In *The psychology of learning and motivation* 2, edited by Spence, K. W. and Spence, J. T., 89–195. New York : Academic Press, 1968.

バトラー後藤裕子『学習言語とは何か―教科学習に必要な言語能力』三省堂、2011 年。

河内昭浩「教科学習語彙の選定と活用」『全国大学国語教育学会発表要旨集』127、333-336 頁。

Miller, G. A.. "The magical number seven, plus or minus two: Some limits on our capacity for processing information." *The Psychological Review* 63, no.2 (1956) : 81–97.

第4章

Bartlett, F. C.. *Remembering: a study in experimental and social psychology.* Cambridge University Press, 1932.（宇津木保・辻正三訳『想起の心理学:実験的社会的心理学における一研究』誠信書房、1983 年。）

Jenkins J. G. and Dallenbach K. M.. "Obliviscence during sleeping and waking." *American Journal of Psychology* 35, no.4 (1924) : 605-612.

Kintsch, W.. *Comprehension: A paradigm for cognition.* New York: Cambridge University Press, 1998.

第5章

犬塚美輪・椿本弥生『論理的読み書きの理論と実践』北大路書房、2014 年。

National Reading Panel. *Report of the National Reading Panel: teaching children to read: an evidence-based assessment of the scientific research literature on reading and its implications for reading instruction: reports of the subgroups.* Washington, D.C.: National Institute of Child Health and Human Development, National Institutes of Health, 2000.（Accessed 2020.1.10）https://www.nichd.nih.gov/sites/default/files/publications/pubs/nrp/Documents/report.pdf

OECD, *Education at a Glance 2011: OECD Indicators.* Chapter A - The Output of Educational Institutions and the Impact of Learning: Indicator A6 - Are students who enjoy reading better readers? (2011) OECD Publishing. Paris.

Palincsar, S. A. and Brown, A. L.. "Reciprocal teaching of comprehension-fostering and comprehension monitoring activities." *Cognition and Instruction* 1, no.2 (1984) : 117-175.

犬塚美輪

（いぬづか みわ）

東京学芸大学 准教授。東京大学大学院教育学研究科博士課程修了。博士（教育学）。読解を中心に、学校や日常的な場面で「新たなことを学ぶ」心理プロセスと教育方法について研究している。主な著書に『認知心理学の視点−頭の働きの科学』（サイエンス社）、『論理的読み書きの理論と実践−知識基盤社会を生きる力の育成に向けて』（北大路書房）。

生きる力を身につける
14歳からの読解力教室

2020年 4月　1日　初版第 1 刷発行
2024年 4月 20日　初版第 5 刷発行

著者　犬塚美輪
イラスト　松本セイジ
発行者　池田圭子
発行所　笠間書院
〒101-0064　東京都千代田区神田猿楽町2-2-3
電話03-3295-1331　FAX03-3294-0996

ISBN 978-4-305-70922-6

装幀・デザイン —— 鎌内文（細山田デザイン事務所）
本文組版 ———— RUHIA
印刷／製本 ———— モリモト印刷

乱丁・落丁本はお取り替えいたします。
https://kasamashoin.jp